Pluma, tintero y papel

AUTORES
José Flores

Ana Margarita Guzmán

Sheron Long

Reynaldo F. Macías

Ramón L. Santiago

Eva O. Somoza

Josefina Villamil Tinajero

CONSULTORES DE LITERATURA
Mauricio E. Charpenel

Isabel Schon

Macmillan Publishing Company

New York

Collier Macmillan Publishers

London

CONSULTORES

Rosa Castro Feinberg

Joanna Fountain-Schroeder

Argentina Palacios

ACKNOWLEDGMENTS

The publisher gratefully acknowledges permission to reprint the following material:

Art from ALEXANDER AND THE TERRIBLE, HORRIBLE, NO GOOD, VERY BAD DAY by Judith Viorst, illustrated by Ray Cruz. Text Copyright © 1972 by Judith Viorst, illustrations Copyright © 1972 by Ray Cruz. Reprinted by permission of Atheneum Publishers.

"The Bed" is adapted from "The Bed" in THE TIGER AND THE RABBIT AND OTHER TALES told by Pura Belpré. Copyright © 1965 by Pura Belpré. Copyright 1944, 1946 by Pura Belpré. Reprinted by permission.

"Best Wishes, Ed" with ten illustrations is from WINSTON, NEWTON, ELTON, AND ED by James Stevenson. Copyright © 1978 by James Stevenson. Adapted by permission of Greenwillow Books (A Division of William Morrow & Company.)

"El florón" is from JUEGOS INFANTILES CANTADOS EN NUEVO MÉXICO compiled by Richard B. Stark. Copyright © 1973 by The Museum of New Mexico Press and reprinted with their permission.

"Jaime y la concha de caracol" is excerpted from "Jaime y la concha de caracol" by Nicholasa Mohr, translated by Silvia Novo Pena in TUN-TA-CA-TUN edited by Sylvia Cavazos Peña. Copyright © 1986 Arte Público Press. Published by Arte Público Press, Houston, Texas and reprinted with their permission.

"La marcha de las letras", El marinero", "Caminito de la escuela" and "La cocorica" are from ALBUM DE CANCIONES by Francisco Gabilondo Soler. Copyright © 1958 Productos Nestlé, S. A. All rights reserved. Used by permission of Francisco Gabilondo Soler.

"Pregón" is from ¿TE CANTO UN CUENTO? by Antonio Ramírez Granados. © 1985 de la presente edición. Consejo Nacional de Fomento Educativo, México. Reprinted by permission of the author.

"¿Quién?" is from "¿Quién?" in TUTÚ MARAMBÁ by María Elena Walsh. Published by Editorial Sudamericana S. A. © 1976. Reprinted by permission of the publisher.

"Se cayó un tomate" was originally titled "Se mató un tomate" by Elsa Isabel Bornemann and is from POESÍA INFANTIL edited by Elsa Isabel Bornemann. First edition 1976. All rights reserved. Published by Editorial Latina and reprinted with their permission.

". . . . . so I made a circus just for the fun of it . . . ." comes from THE ARTIST'S VOICE: "Talks with Seventeen Artists" by Katharine Kuh. Copyright © 1950, 1961, 1962 by Katharine Kuh. Used by permission of Harper & Row, Publishers, Inc. "I want to make things that are fun to look at" comes from CONVERSATIONS WITH ARTISTS by Seldon Rodman. Copyright © 1957 by Seldon Rodman. Published by The Devin-Adair Company and used with their permission.

"Spider in the Sky" is an adaptation of SPIDER IN THE SKY by Anne Rose. Text Copyright © 1978 by Anne Rose. Illustrations Copyright © 1978 by Gail Owens. Based upon the story "How the Sun Came" from AMERICAN INDIAN MYTHOLOGY by Alice Marriott and Carol K. Rachlin. Copyright © 1968 by Alice Marriott and Carol K. Rachlin. Reprinted by permission of Harper & Row, Publishers, Inc.

"Through Grandpa's Eyes" is an abridged and adapted selection with illustrations from THROUGH GRANDPA'S EYES by Patricia MacLachlan. Illustrations by Deborah Ray. Text Copyright © 1979 by Patricia MacLachlan. Illustrations Copyright © 1980 by Deborah Ray. Used by permission of Harper & Row, Publishers, Inc. and Curtis Brown, Ltd.

"Violín y violón" by María Hortensia Lacau is from POESÍA INFANTIL edited by Elsa Isabel Bornemann. First edition 1976. All rights reserved. Published by Editorial Latina and reprinted with their permission.

Cover Design: Thomas Vroman Associates, Inc.

Cover Photo: © Blair Seitz

Book Design: Diane Hoyt-Goldsmith

ILLUSTRATION CREDITS: Istvan Banyai, 8–9; John Nez, 10–21; Arvis Stewart, 22–31; Simon Banyai, 33; Karen Milone, 44–53; Randy Chewning, 54–55; Jerry Smath, 58–71; Ellen Beier, 74–85; Terra Muzick, 96–97; Bob Jackson, 98–105; Ed Sibbett, 107; Pat Hoggan, 108–119; Istvan Banyai, 122–123; Ed Sibbett, 137; Beth Whybrow-Leeds, 138–139; Gail Owens, 140–149; Ed Sibbett, 161; Deborah Kogan Ray, 162, 164, 165, 168, 170; Randy Chewning, 172–173; Jeffrey Severn, 176–184; Roseanne Litzinger, 186–187; Eric Joyner, 188–200; Joel Snyder, 212–226; Jeffrey Severn, 230–256.

PHOTO CREDITS: Magnum Photos: © Inge Morath, 36; Collection of WHITNEY MUSEUM OF AMERICAN ART: Alexander Calder: *Chock.* (1972). Metal assemblage. 11 × 28 × 22 inches. Gift of the artist. Acq. #72.55,37; *Kangaroo* from the *Circus.* (1926–31). Metal, wood, and wire. 5½ × 8 × 3¼ inches. Acq. #83.36.6,38, *Clown* from the *Circus.* (1926–31). Wire, painted wood, cloth, yarn, leather, metal and button. 10½ × 9 × 4 inches. Acq. #83.36.3,40. *Lion* and *Cage* from the *Circus.* (1926–31). Wire, yarn, cloth and buttons. 9½ × 16½ × 5 inches. (lion). Painted wood, wire, cloth, cork and bottle caps. 17⅛ × 19½ × 17½ inches. (cage). Acq. #83.36a–b,40. *Seals* from the *Circus.* (1926–31). Painted wood, metal, wire, cork and plastic ball. 8 × 19⅝ × 5 inches. Acq. #83.36.10,40. *Big Bug.* 1970. Gouache on paper. 29⅛ × 42¾ inches. Promised gift of Howard and Jean Lipman. Acq. #P. 40.80,41. © Allen Yarinsky, 42. Collection of Nanette Hayes Saxton, Alexander Calder. *Circus.* 1926, oil on burlap, 69 × 83 inches. On extended loan to University Art Museum, Berkeley, California, 38. Collection of WHITNEY MUSEUM OF AMERICAN ART: Purchase, with funds from a public fundraising campaign in May 1982. One half the funds were contributed by the Robert Wood Johnson Jr. Charitable Trust. Additional major donations were given by The Lauder Foundation; the Robert Lehman Foundation, Inc.; the Howard and Jean Lipman Foundation, Inc.; an anonymous donor; The T. M. Evans Foundation, Inc.; MacAndrews & Forbes Group, Incorporated; the De Witt Wallace Fund; Martin and Agneta Gruss; Anne Phillips; Mr. and Mrs. Laurence A. Rockefeller; the Simon Foundation, Inc.; Marylou Whitney; Bankers Trust Company; Mr. and Mrs. Kenneth N. Dayton; Joel and Anne Ehrenkranz; Irvin and Kenneth Feld; Flora Whitney Miller. More than 500 individuals from 26 states and abroad also contributed to the campaign. 83.36, 38,40. © The Estate of André Kertész, 39. WOODFIN CAMP & ASSOCIATES/Stephanie Maze, 86L; Courtesy of Rosa Guerrero, 86–87; WOODFIN CAMP & ASSOCIATES/Robert Frerck, 87R; *Quetzales,* Courtesy Columbia Artists Festival Corp., 88; *Jalisco,* Courtesy Columbia Artists Festival Corp., 90B; WOODFIN CAMP & ASSOCIATES/Stephanie Maze, 90T; Courtesy of Rosa Guerrero, 92–93; WOODFIN CAMP & ASSOCIATES/Robert Frerck, 94L; Boda Michoan, Courtesy Columbia Artists Festival Corp., 94R; Lawrence Migdale, 98–99, 105; © Peggy Jarrell Kaplan, 120; Lawrence Migdale, 124–125, 127, 133, 134, 140, 202; Elliott Varner Smith, 227.

Macmillan Publishing Company
866 Third Avenue
New York, N.Y. 10022
Collier Macmillan Canada, Inc.

Printed in the United States of America

ISBN 0-02-167140-0

20 19 18 17 16 15 14 13

Pluma, tintero y papel

Una, dos y tres,
pluma, tintero y papel
para escribir una carta
a mi querido Miguel.

Tradicional

Contenido

4

NIVEL 7, UNIDAD 1

Campo blanco

Campo blanco y un pincel,
mucha pintura y mucho papel.
¿Qué seré?

(lo que se pinta)

Campo blanco y una melodía,
mucho ritmo y mucha alegría.
¿Qué seré?

(la música)

Campo blanco y un telón,
una princesa y un dragón.
¿Qué seré?

(una obra de teatro)

Campo blanco, semillas negras,
cinco son los bueyes
que el arado llevan.
¿Qué seré?

(lo que se escribe)

9

Amanda y el mundo mágico de la computadora

Gibbs Davis

Mucha gente hace cosas con las manos y con una buena idea. Amanda tiene que escribir un cuento para la escuela. Vamos a ver cómo la ayuda la computadora.

Amanda oye la voz que viene de la radio: "Hay mucha nieve. Todas las escuelas de la ciudad están cerradas. Hace años que no tenemos un día tan frío como éste".

Amanda se calienta las manos. Cuando oye las noticias, le da más frío todavía.

Amanda mira alrededor del cuarto. Está sola. Sus papás están en su trabajo. Su hermano está en casa. Está en otro cuarto y lee un libro.

Amanda tiene mucho que hacer para la escuela. Tiene que escribir un cuento. Pero las horas pasan, y Amanda no sabe sobre qué escribir. Sabe que si dibuja su cuento, le va a salir muy bien. A Amanda le gusta mucho dibujar. Es una de las cosas que sabe hacer muy bien.

11

Amanda va al cuarto de sus papás y se sienta a la computadora que está allí. Cuando su mamá está en casa, Amanda puede escribir en la computadora. Su mamá hace su trabajo en la computadora. Amanda no puede tocar la computadora cuando sus papás no están en casa. Pero su cuento es un trabajo muy importante. Así es que lo va a hacer en la computadora.

Amanda aprieta el botón y oye el "bzzz, bzzz" de la computadora. Comienza a escribir:

Este cuento es sobre un . . .

No sabe qué escribir. Amanda comienza de nuevo:

Un día . . .

No le sale nada más. Su mamá la enseñó a dibujar en la computadora. Amanda sabe qué botones apretar y se pone a hacer un dibujo. Primero, hace un camino. El camino cruza una laguna. Al otro lado de la laguna, Amanda hace una casa. Al ratito hace un castillo. Es un castillo de oro. ¡Parece un castillo mágico!

Amanda está muy feliz. Mira el castillo con mucho cuidado. En eso, ve unas nubes que salen por las ventanas del castillo. Ahora, las nubes salen de la computadora y llenan el cuarto. Amanda ya no ve nada.

—Parece que estoy en el aire —dice Amanda—, que vuelo como una paloma.

Ahora, las nubes bajan hacia la tierra, y Amanda baja con ellas. Tiene los ojos cerrados porque no quiere ver nada. Sólo quiere llegar a la tierra.

Cuando Amanda llega, oye una voz muy enojada.

—Mira quién viene a comer, Reinita —dice la voz—. Una enanita.

Amanda quiere ver de dónde viene la voz. Mira a su alrededor y no puede creer lo que ve.

Amanda ve a un rey y a una reina al lado de un castillo de oro, un castillo como el del dibujo de la computadora. Amanda sabe que ¡no puede ser! ¿Puede estar en el dibujo de la computadora?

—¿Dónde estoy? —pregunta Amanda.

—¿No sabes dónde estás? —pregunta el rey.

Amanda se calienta las manos y dice:

—No.

—Para una enanita, no sabes mucho
—dice el rey.

—Yo no soy una enanita —dice Amanda.

—Entonces, ¿por qué eres tan chiquitita?
—pregunta la reina enojada.

Amanda mira a la reina y ve que lleva
un animalito curioso en la ropa. En eso,
el animalito bosteza y se duerme otra vez.

—Soy una niña —dice Amanda.

—No puede ser —dice la reina—. En este mundo no hay niños. Si no eres una enanita, eres una flor.

La reina llama a un muchacho y le dice:
—Dale agua a esta flor. Está muy chiquitita.

El muchacho trae unas botellas de agua y tira el agua en la cabeza de Amanda. Cuando no hay más agua que tirar, va a buscar más.

—¡No! —grita Amanda—. ¡No soy una flor! ¡Soy una niña!

—¿Y cómo crece una niña? —pregunta el rey.

—Una niña crece con los años —dice Amanda.

—¡Ay, qué triste! —dice la reina y se sienta a la mesa—. Toma un poco de sopa, querida. Te va a hacer bien. Mi sopa de tortuga es muy buena. Es la sopa más fría que hay.

—¿Sopa fría? —pregunta Amanda.

Para Amanda, la sopa fría no es buena. Pero se sienta a comer. Amanda ve que la reina lleva un collar con muchas tortuguitas.

—Bueno, ¡a nadar! —dice la reina.

En eso, ¡una de las tortuguitas da un salto y cae en la sopa de la reina!

—¡Perfecto! —dice la reina—. ¡Qué bien nada esa tortuguita! A mí se me hace difícil nadar.

—¡A mí también! —dice Amanda.

Amanda mira a la tortuga. La tortuga mira a Amanda y le dice:
—¡Hola!

Entonces, el rey se para y dice:
—¡Ya sé qué vamos a hacer después de comer! ¡Vamos a hacer la danza de los elefantes!

—¡Muy bien! —grita la reina—. Y tú, enanita, vas a hacer la tela de araña. Ya sabes que la danza de los elefantes se hace en una tela de araña.

Amanda mira al rey y a la reina. Dice:
—Yo no sé jugar. Me quiero ir a mi casa.

—¡No te puedes ir! —grita la reina.

—¿Cómo es tu castillo? —pregunta el rey.

—Lo voy a dibujar —dice Amanda.

Amanda se pone a dibujar su casa.
Cuando el dibujo está listo, una de las
tortuguitas de la reina salta en la sopa de
Amanda. ¡Y el dibujo de Amanda se llena
de sopa!

—¡Seca todo eso! —grita la reina.

Rápido, Amanda se pone a secar el
dibujo. Pero éste se llena de nubes. Las
nubes salen del dibujo y llenan el cuarto.

Las nubes suben hasta el cielo. Y
Amanda sube con ellas. En eso, Amanda oye
el "bzzz, bzzz" de la computadora. ¡Ya está
en su casa!

Amanda oye una voz. ¡Son sus papás que vienen del trabajo! Amanda aprieta el botón de la computadora. Y el mundo mágico de la computadora se va.

—¡Hola! —dice la mamá cuando llega al cuarto—. ¿Ya tienes ideas para tu cuento?

—No tengo muchas —dice Amanda, porque su mamá no cree en los mundos mágicos.

Entonces, Amanda toma un papel y escribe EL MUNDO MÁGICO DE LA COMPUTADORA. Ahora, sí sabe sobre qué va a escribir. ¡No sabe por dónde comenzar!

Preguntas

1. ¿Por qué están cerradas las escuelas?
2. ¿Por qué cree Amanda que puede usar la computadora?
3. ¿Por qué echa agua el muchacho en la cabeza de Amanda?
4. ¿Qué crees que escribirá Amanda en su cuento sobre EL MUNDO MÁGICO DE LA COMPUTADORA?

Aplicación de destrezas de lectura
Sílabas cerradas con *m, c*

Escribe del 1 al 3 en tu papel. Lee cada oración y escoge la sílaba que le falta a la palabra incompleta. Escribe la palabra completa en tu papel.

1. Amanda tiene que escribir un cuento muy ___portante.

       in   ir   im

2. ¡Qué cuento tan bonito! Está per___to.

       fe   fec   fet

3. A su mamá ___bién le gusta el cuento.

       tam   tar   tan

Las cuevas de Altamira

Mauricio Najarro

Amanda hace un castillo en la computadora.
En este cuento, María vive en un castillo. Es como
el castillo que hizo Amanda. El castillo está en el
campo, no lejos de las cuevas de Altamira. Estas
cuevas están en España, y este cuento pasó un día,
hace muchos, muchos años.

—¡María! —dice don Marcelino—. Ven. Tengo
una sorpresa para ti.

—¿Qué es, papá? ¿Qué es? —pregunta María,
muy contenta.

—Puedes ir conmigo a las cuevas de Altamira
—dice don Marcelino—. Pero tienes que quedarte
a mi lado. Las cuevas son muy peligrosas.

—¡Ay, sí, papá, sí! —grita María—. Gracias.

Por el camino, don Marcelino le habla a María de las cuevas.

—Sabes, María, que hace tiempo que visito estas cuevas —dice don Marcelino.

—Sí, papá —dice María—. Pero, ¿qué hay allí?

—Pues —dice don Marcelino—, las cuevas de Altamira son muy grandes. Tienen muchos túneles. ¡Uno no sabe lo que se puede encontrar!

Cuando llegan a un lugar rocoso, don
Marcelino dice:

—María, aquí estamos. Es difícil ver que hay
cuevas aquí, pero aquí están. Dame la mano.
Vamos a entrar.

La niña y su papá entran en una cueva.

—¿Qué haces ahora, papá? —pregunta María.

—Busco cosas aquí en la tierra —dice su
papá—. En las cuevas hay mucha tierra, y en la
tierra a veces se encuentran cosas. Yo voy a
quitar la tierra de este lugar. A lo mejor
encuentro algo.

Don Marcelino se pone a trabajar. María se
queda a su lado y mira lo que hace su papá. Pero,
después de un rato, su papá le pregunta:

—¿Estás aburrida, María?

—No, papá. Pero te quiero ayudar —dice
María—. Aquí hay un túnel. Voy a ver adónde va.

Don Marcelino mira el túnel. Ve que es muy
chiquitito y se ríe. María no va a poder meterse
en el túnel.

María lleva una de las luces que tiene su papá
y se va hacia el túnel.

Poco a poco, María quita la tierra del túnel. Ahora, el túnel está más grande. Después de un rato, María ve que puede entrar en él.

María está feliz. Quiere encontrar algo, igual que su papá.

María entra en el túnel, pero no puede caminar. El túnel es muy bajito, y María tiene que ir a gatas. Mira a un lado del túnel y ve una pared rocosa. Mira hacia arriba y ve un techo rocoso. Y después, ve algo más y se ríe. ¡Qué bonito le parece! Se lo tiene que mostrar a su papá.

—¡Papá, ven! —grita María—. ¡Mira lo que encontré!

—¡María! ¿Qué haces ahí, mi gatita? —le pregunta su papá.

—Ven a ver este dibujo de un caballito que hizo alguien —dice María—. ¡Es tan bonito!

Don Marcelino se mete en el túnel. Es más difícil para él porque es más grande que María. Cuando llega al lugar que le muestra María, no sólo ve el dibujo de un caballo. Ve muchos otros dibujos, de bisontes, jabalíes y más caballos.

Don Marcelino está muy contento y no sabe qué decir. Sabe que esos dibujos son muy importantes. Quiere ver más.

—¿Quién hizo estos dibujos? —pregunta
María.

—Los dibujó un pueblo que vivió en estas
cuevas hace muchos, pero muchos, años —le dice
su papá.

—¿Dibujaron con lápiz? —pregunta María.

—No, María —dice su papá—. Dibujaron con pintura vegetal. Esa pintura se hace con las matas y con las flores.

—¿Estás contento, papá? —pregunta María.

—Soy el papá más feliz del mundo, María —dice don Marcelino—. Ven. Vamos a decir a todos lo que encontraste.

Preguntas

1. ¿Qué sorpresa tiene don Marcelino para María?
2. ¿Qué hace don Marcelino en las cuevas?
3. ¿Qué descubre María en el túnel?
4. ¿Por qué crees que son importantes los dibujos que hay en las cuevas?

Aplicación de destrezas de lectura
Sílabas cerradas con *l, z, d*

Escribe del 1 al 4 en tu papel. Lee cada oración y escoge la sílaba que le falta a la palabra incompleta. Escribe la palabra completa en tu papel.

1. María le quiere regalar ___go a su mamá.

   al   an   ac

2. Hace un dibujo con lá___ y papel.

   piz   pi   pin

3. Después, lo pone en la pa___ de su cuarto.

   re   ret   red

4. ¡Qué bonito dibujo! ¡No hay otro i___!

   gual   gal   gan

¿Quién?

¿Quién pinta, quién pinta
la flor con rocío
y el cielo con tinta?

¿A quién se le pierde
encima del árbol
su pintura verde?

María Elena Walsh

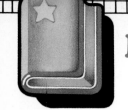

DESTREZAS

La causa de un suceso

Al leer un cuento, ¿cómo sabes por qué pasó algo? ¿Cómo sabes por qué alguien hizo lo que hizo en un cuento? Si buscas las palabras *porque y por eso*, lo sabrás. Estas palabras indican la causa de un suceso.

Lee estos cuentos. Piensa en la causa del suceso. Después, escribe en tu papel la respuesta a cada pregunta. Usa oraciones completas.

ACTIVIDAD A El papá de María trabaja en las cuevas de Altamira. María quiere ir con su papá porque lo quiere ayudar. Una mañana, María va a las cuevas con su papá. Pero las cuevas son peligrosas y, por eso, el papá lleva a María de la mano.

1. ¿Por qué quiere ir María a las cuevas con su papá?
    a. Hace buen tiempo.
    b. Quiere ayudar a su papá.
    c. María trabaja en las cuevas.

2. ¿Por qué su papá lleva a María de la mano?

    a. Las cuevas son peligrosas.

    b. María no quiere ir a las cuevas.

    c. Las cuevas quedan lejos.

ACTIVIDAD B   Nicolás tiene un perro y un caballito porque le gustan los animales. Le gusta mucho jugar con ellos. A la abuelita de Nicolás no le gustan mucho los animales. Por eso, no se pone a jugar con el perro y el caballito.

1. ¿Por qué tiene animales Nicolás?

    a. Su abuela se los dio.

    b. Le gustan los animales.

    c. Vive en la ciudad.

2. ¿Por qué la abuela de Nicolás no se pone a jugar con los animales?

    a. No le gustan mucho los animales.

    b. No quiere jugar con Nicolás.

    c. Le gustan mucho los animales.

ALEXANDER CALDER:

"Por el gusto, no más"

Margarita Gutiérrez

Para Alexander Calder, el circo era un lugar fabuloso. Hizo un circo en el que todo era pequeño. A través de su obra, Calder le habla a la gente y le dice lo que piensa.

Alexander Calder nos dice muchas cosas a través de su obra. En su trabajo vemos lo mucho que amaba a su mundo. Le gustaban los pájaros y los insectos. Le gustaba ver el sol cuando salía. Le gustaba ver la luna que se reía en el cielo por la noche. Le gustaban el circo y los animales.

El arte de Calder muestra todo su mundo. Cada cosa, desde la más pequeña hasta la más grande, era importante para él. Cada vez que se mira la obra de Calder, se ve algo nuevo.

Cuando Calder era pequeño, comenzó a hacer cosas pequeñas para jugar con ellas. Y estas cosas que hizo de pequeño le sirvieron más tarde.

La obra de Calder muestra que le gustaba jugar. Hizo pájaros y pollitos de madera. Hizo osos juguetones y peces que nadan. El arte de Calder es como una pintura que camina, que no se queda en un lugar.

Chock. (1972). Whitney Museum of American Art.

Circus, (Circo). (1926). Collection of Nanette Hayes Saxton.

—Yo quiero hacer
cosas divertidas . . .
—dijo Calder—. Me gusta
mucho el circo . . . por
eso, hice un circo,
por el gusto, no más.

Calder llegó a conocer bien el circo
alrededor del año 1920. Trabajaba para una
revista. Su trabajo era hacer dibujos del circo
"Ringling Brothers and Barnum and Bailey".

Calder vio cosas fabulosas en el circo.
Vio correr y saltar a los leones y a los
elefantes. Vio a unos muchachos saltar por
el aire. Y bien arriba, en lo más alto del
circo, vio a una muchacha caminar, como un
ave por una cuerda. Era un mundo de
sorpresas.

Kangaroo, a figure from the Circus. (1926–31).
(Canguro, una figura del Circo).
Whitney Museum of American Art.

Calder oyó todos los sonidos del circo. Vio los leones y los elefantes. Vio a alguien tocar música. Vio a los payasos. Llegó a conocer el circo muy bien.

Después, hizo un circo chiquitito en su casa, en su cuarto. Hizo animales de madera y de cuerda. Este pequeño circo se parecía a uno grande. Sus amigos vinieron a ver su pequeño circo.

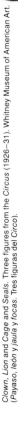

Calder estaba a un lado del circo. Hacía los sonidos de los leones y de los otros animales. Hacía correr y brincar a los animales. Hacía caminar y saltar a la gente del circo. Tocaba la música del circo.

Los amigos de Calder vieron todo el circo. Vieron a un perrito travieso. Lo vieron correr y brincar. Vieron a muchos animales. Cada uno hacía su truco. Vieron a una señora y la oyeron cantar. Vieron a un muchacho saltar en el lomo de un caballo.

Era muy divertido mirar el circo de Calder. Ahora, se puede ver en el museo Whitney, en la ciudad de Nueva York.

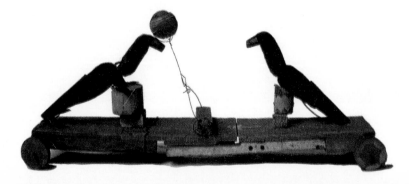

40

A Calder también le gustaba trabajar
con papel.

Para hacer sus pinturas, Calder ponía el
papel en una mesa. Después, le ponía agua.
El agua se secaba un poco. Y después,
Calder se ponía a pintar. Rápido, ponía sus
ideas en el papel. Llenaba todo el papel con
un sol o con un insecto.

El arte de Calder vive. Cuando el viento sopla, los peces de Calder se ponen a nadar. Las aves parecen volar. Las flores parecen crecer.

Cuando era pequeño, Calder oía la música del viento. Oía el sonido de las pequeñas aves. Al oírlos, estos sonidos lo hacían feliz. Parece que Calder quería hacer feliz a la gente a través de las cosas que se ven.

Al mirar la obra de Calder, la queremos tocar. Queremos ver los animales correr y saltar.

También queremos jugar . . . "por el gusto, no más".

Preguntas

1. Nombra algunos animales que hizo Calder.
2. ¿Qué sonidos oía Calder en el circo?
3. ¿Crees que a la gente le gustaba el circo de Calder? ¿Por qué sí o por qué no?
4. ¿Qué foto te gusta más? ¿Por qué te gusta?

Aplicación de destrezas de lectura
Combinación de consonantes *br, tr*

Escribe del 1 al 4 en tu papel. Lee cada oración y escoge la sílaba que le falta a la palabra incompleta. Escribe la palabra completa en tu papel.

1. Tengo un perrito muy ___vieso.

   tra   ta   bra

2. Lo veo correr y ___car en el jardín.

   bin   brin   blin

3. Lo llamo y le digo:

   —¡Trae mi a___go y vamos a pasear!

   bi   bli   bri

4. Noso___ somos buenos amigos.

   tros   tos   bros

La fabulosa cocina de papá

Lada Josefa Kratky

Calder hizo cosas fabulosas con las manos.
Cuando miramos su obra, nos ponemos muy felices.
En este próximo cuento, el papá de Adriana también
hace cosas fabulosas. Y toda su familia se pone muy
feliz. Adriana quiere aprender a hacer estas cosas con
su papá. Vamos a ver si aprende.

44

—¡Hola, papi! ¿Qué traes en esa bolsa?
—pregunta Adriana.

—Es una sorpresa —dice el papá—. Sabes
que a mí me toca cocinar esta semana. Aquí
tengo todo lo que voy a necesitar para la
comida de esta noche.

—¿Te puedo ayudar? —pregunta Adriana.

—Todavía eres muy pequeñita —dice el
papá—. Pero puedes mirar cómo preparo la
comida. Así vas a aprender.

Adriana sigue a su padre a la cocina. Desde su rinconcito ve a su papá poner la bolsa en la mesa. Lo ve abrir el refrigerador. Lo ve tomar un jugo de fruta fresco.

Ahora, su padre mira las cosas que trae en la bolsa. Piensa un ratito y se ríe. Y después, dice:

—¡Manos a la obra!

Un mundo de cosas vuela por la cocina. El refrigerador se abre y se cierra. Aparecen vegetales. Se abren frascos. El agua corre. De vez en cuando, el padre de Adriana canta. Está feliz.

Desde su rinconcito, Adriana lo mira.

Cuando todo está listo, el padre de Adriana dice:

—Toca la campana, Adriana, para llamar a todos a la mesa. La comida está lista.

Adriana, su hermanita Sara y su mamá ya están en la mesa cuando el papá sale de la cocina. Él dice:

—Esta noche les preparé una comida que se llama "Gallina con pollitos".

Todos se ríen al ver lo que el papá pone en la mesa.

—¡Qué ideas tienes, papá! —dice Adriana.

—¡Dame un pollito! —dice su hermanita.

—Se ve muy sabroso —dice la mamá.

—¡Y divertido! —dice el papá—. Las comidas tienen que ser divertidas. Y ahora, ¡a comer!

Para el padre de Adriana, cocinar es como un juego. Es más que un juego. Es un arte. El papá prepara unas comidas fabulosas y les da nombres muy curiosos.

Un día, Adriana ve a su papá preparar un fabuloso "Dragón de mar" de guacamole y tacos.

Otro día prepara "Perritos con ropa" y agua de tamarindo.

Y otro día hace "Niditos de urraca rellenos".

A Adriana le gustan las "Cosquillas de tomate" con chayote.

A Sara le gusta la "Canasta de fruta" con papaya, mangos y mamey.

Y a su mamá le gusta la "Sorpresa del mar".

Toda esta semana Adriana mira y aprende.

Cuando llega el sábado, Adriana dice:

—Mamá, yo quiero cocinar con papá. Ya aprendí a cocinar. Pero él dice que soy muy pequeñita.

—Si quieres cocinar con él, le vas a tener que mostrar que sabes cocinar —le dice su mamá.

—¿Cuándo puedo cocinar? —pregunta Adriana.

—La semana que viene es el día del santo de tu padre —dice la mamá—. Si quieres, le puedes preparar algo para ese día.

—¡Qué buena idea, mamá! —dice Adriana.

Toda esa semana Adriana piensa y piensa. Quiere preparar algo fabuloso, curioso y divertido a la vez. Le viene una idea. Pero al ratito ya no le gusta. Le viene otra idea y otra más. No sabe qué hacer.

Una noche Adriana se pone a pensar en su papá. Piensa en lo que más le gusta a su papá. Piensa en cómo es él. Piensa en las cosas que hace. Y entonces, le viene una pequeña idea. Poco a poco esa idea crece. Por fin, Adriana sabe qué es lo que le va a hacer a su papá.

Llega el día del santo del padre. Adriana trabaja todo el día. A veces se ríe. A veces canta. Y esa noche, después de la comida, la pequeña Sara dice:

—¡Trae tu sorpresa, Adriana!

Adriana corre a la cocina. Cuando sale dice:

—Para el día de tu santo, papá, te preparé una "Fabulosa fiesta de fruta".

El papá se ríe cuando ve lo que le preparó Adriana. Le dice:

—¡Qué divertido! ¡Gracias, Adriana! ¡Tú y yo vamos a hacer unas comidas fabulosas!

Preguntas

1. ¿Por qué crees que Adriana quiere cocinar?
2. ¿Por qué es tan divertida la "Gallina con pollitos"?
3. ¿Qué sorpresa prepara Adriana para su padre?
4. ¿Por qué crees que el papá se ríe al ver lo que preparó Adriana?

Aplicación de destrezas de lectura
Combinación de consonantes *fr, dr, pr*

Escribe del 1 al 4 en tu papel. Lee cada oración y escoge la sílaba que le falta a la palabra incompleta. Escribe la palabra completa en tu papel.

1. Adriana va a ＿＿parar la comida.

   pe   pre   ple

2. Va a ser una sorpresa para su pa＿＿.

   dra   dre   de

3. Abre unos ＿＿cos de fruta.

   fras   fas   fres

4. Pone las frutas en el re＿＿gerador.

   fi   fri   pre

Se cayó un tomate

¡Ay! ¡Qué disparate!
¡Se cayó un tomate!

¿Quieren que les cuente?
Se cayó en la fuente

sobre la ensalada
recién preparada.

Su rojo vestido,
todo descosido,

cayó haciendo arrugas
al mar de lechugas.

Su amigo Zapallo
corrió como un rayo

pidiendo de urgencia
por una asistencia.

Vino el Doctor Ajo
y remedios trajo.

Llamó a la carrera
a Sal, la enfermera.

Después de sacarlo
quisieron salvarlo,

pero no hubo caso:
¡Estaba en pedazos!

Elsa Isabel Bornemann

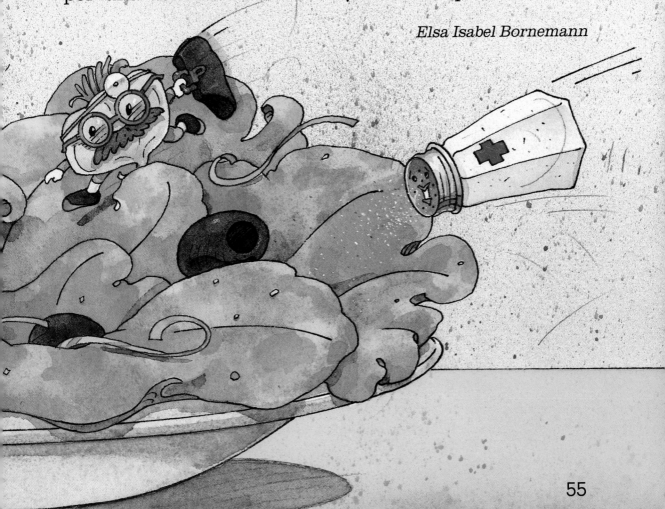

55

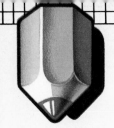

COMPOSICIÓN

Una carta a mi amigo

ANTES DE ESCRIBIR

Es divertido aprender cosas nuevas, pero no siempre es fácil. Lee otra vez "La fabulosa cocina de papá". ¿Qué aprendió Adriana?

También es divertido decirle a tu amigo qué aprendiste. Ahora, le vas a escribir una carta a un amigo. Le puedes decir cómo aprendiste a nadar, a cocinar o a jugar a algún juego.

Antes de escribir, tienes que pensar en lo que vas a escribir. Estas ideas te podrán ayudar:

1. Haz una lista de lo que te pasó mientras aprendías.
2. ¿En qué orden pasaron las cosas? Usa palabras como *primero, después* y *por último* para mostrar el orden.
3. ¿Qué información necesitas para empezar y terminar la carta?

ESCRIBIR

1. Escribe la fecha y el saludo.
2. Ahora, lee la lista de sucesos. La primera oración de tu carta debe decir qué aprendiste. Después, escribe otras oraciones sobre lo que te pasó al aprender.
3. Trata de usar las Riquezas de Vocabulario en tu carta.
4. Termina la carta.

Riquezas de Vocabulario

aprender	curioso
cuidado	preparar

REVISAR

Lee tu carta. Deja que un amigo la lea. Piensa en estas cosas al revisar.

1. ¿Dice tu carta qué y cómo aprendiste? ¿Debes escribir algo más?
2. ¿Dijiste lo que pasó en orden? ¿Usaste palabras como *primero, después* y *por último*?
3. ¿Escribiste cada parte de la carta en el lugar correcto?
4. ¿Usaste los signos de puntuación correctos?
5. Ahora, vuelve a escribir tu carta.

¿Quién es el que va por ahí?

Mauricio Charpenel

El que va por ahí es muy feliz. Pero,
¿sabes por qué es feliz? ¿Sabes quién es? Éste
es su cuento. ¡Ahí va!

Un lindo día lleno de sol, nace un pequeño grillito. Nace en un pueblo chiquitito de México, lleno de flores, árboles y ríos, no muy lejos del mar.

De chiquito el grillito
es muy travieso y juguetón.
Le gusta caminar por el campo,
donde canta y salta, salta y canta
una y otra canción. Lo mira todo.
Todo le agrada. ¡Cómo le gusta
el campo! ¡Es feliz!

Cuando tiene más años va con todos sus
pequeños amigos caminito de la escuela.
Camina y corre. Hace una pequeña danza y
corre otra vez. Después, camina al compás de
su canción. Quiere llegar a tiempo a la
escuela. Está contento porque le gusta la
escuela.

Un día, en la escuela, todos se ríen
cuando el grillito dice que el "dos" que la
señorita escribió se parece al patito en la
laguna. Otro día, la señorita se enoja con él
cuando se pone a cantar. Pero al grillito le
gusta cantar, y canta al salir de la escuela.

Mucho después, ya no va a la escuela, porque ya creció. Como le gusta saltar, se hace boxeador. Pero no le gusta que le peguen y no le gusta pegar.

Entonces, se pone a jugar con los toros en una plaza de toros. Pero le gustan más los toros en el campo. Así que se va al mar. Se va en barco por los mares del mundo.

Le gustan las estrellas y los planetas. Horas y horas mira el cielo. Ya conoce todas las estrellas. Ellas lo ayudan a ir de un lado a otro. Visita muchos lugares. Y en todos estos lugares, canta y canta. Y piensa y piensa. Así escribe sus canciones.

Regresa a México y canta otra vez. Un amigo lo oye. Le dice que si canta por radio, muchos niños lo pueden oír. Entonces, el grillito se pone a cantar por radio. Escribe y canta muchas canciones. Escribe de todo lo que conoce.

El grillito escribe y canta muchas
canciones sobre los animales. En una, canta
sobre la famosa Cocorica, una gallinita que
sale a pasear con sus pollitos. Les enseña a
los pollitos todo lo que tienen que hacer.

En otra, el grillito canta sobre un animal
que dice: "¡Ji-jau, ji-jau, ji-jau!" El animal está
en la escuela y se tiene que aprender la "O".
Y en otra, canta sobre una araña que baila el
tango en su tela de araña.

El grillito canta y canta. Ya no es
boxeador. Ya no juega con los toros. No tiene
mucho tiempo para irse al mar. Pero el grillito
sigue con sus canciones.

Todavía mira las estrellas y los planetas.
Le gustan mucho las estrellas. En una canción
dice que la luna quitó a las estrellas del cielo
y salió a brillar solita.

Y cuando es hora de ir a la cama, el
grillito te canta a ti. Te habla del señor que
sale de noche y se llama Juan Pestañas. Y tú
te duermes al oír la canción. El grillito se ríe.
Está feliz, porque con sus canciones, él
te hace feliz.

¿Ya sabes quién es el que va por ahí?

Si no, te cuento otra de sus canciones,
¡porque ésta sí la conoces! Es la canción de un
desfile muy curioso. Tú la sabes, ¿no? Es la
que dice:

Primero verás que pasa la "A"
con sus dos patitas
muy abiertas al marchar.
Ahí viene la "E"...

Ya no puede ser un secreto. Ahora sí sabes cómo se llama este grillito de México. ¡Claro que sí! El que va por ahí... el que salta por ahí... ¡Es "Cri-Cri", el grillo cantor!

Si algún día vas al Valle de México, mira muy, muy bien. A lo mejor, ves al grillito que salta y canta. ¡Canta y salta! Porque "Cri-Cri" es Francisco Gabilondo Soler y Francisco Gabilondo Soler es "Cri-Cri", y los dos son uno. Todo lo que canta "Cri-Cri" lo escribió don Francisco. Todo lo que pensó don Francisco, lo dice "Cri-Cri". Cuando conoces a "Cri-Cri", conoces a don Francisco Gabilondo Soler. ¡Ahora sí sabes quién es el que va por ahí!

Preguntas

1. ¿Dónde nació el grillito?
2. Después de ser boxeador, ¿qué hizo el grillito?
3. Por fin, ¿qué hizo el grillito?
4. ¿Por qué crees que Francisco Gabilondo Soler lleva el nombre de "Cri-Cri"?

Aplicación de destrezas de lectura
Combinación de consonantes *cr, gr*

Escribe del 1 al 4 en tu papel. Lee cada oración y escoge la sílaba que le falta a la palabra incompleta. Escribe la palabra completa en tu papel.

1. El pequeño ____llito va a la escuela.

   gri   gli   gre

2. A la hora del re____o, sale al jardín.

   cle   cre   ca

3. En voz baja, le cuenta un se____to a la araña.

   cre   cle   co

4. Después, el grillito re____sa a la escuela.

   gle   go   gre

Cuando "Cri-Cri" escribe canciones, escribe sobre lo que conoce. Aquí hay otras canciones. Piensa en el cuento de "Cri-Cri". Piensa en todo lo que vio y en los lugares que visitó. A ver si sabes cuándo escribió cada canción.

El marinero

¿Recuerdas, marinero,
tu barquito en el mar de la China
que saltaba muy ligero
en las olas como una golondrina?

Y ¿recuerdas, marinero,
la sonrisa de aquellas princesas
que salvaste de la gruta
del dragón de quinientas cabezas?

"Cri-Cri"

69

Caminito de la escuela

Caminito de la escuela
apurándose a llegar
con sus libros bajo el brazo
va todo el reino animal.

El ratón con espejuelos
de cuaderno el pavo-real
y en la boca lleva el perro
una goma de borrar.

Cinco gatitos
muy bien bañados
alzando los pies
van para el kinder
entusiasmados
de ir por primera vez.

Caminito de la escuela
pataleando hasta el final
la tortuga va que vuela
procurando ser puntual.

"Cri-Cri"

70

La cocorica

Salió la gallina
salió a pasear
con sus diez pollitos
por el corral.

Doña Cocorica
les hace ver
lo que todo pollo
debe saber:

"Aprendan primero
que aquí en el corral
su padre, el Gallo,
es la autoridad.

A diario temprano
se oye su voz
y es porque ordena
que salga el sol".

"Cri-Cri"

71

Seleccionar el mejor título

Todas las canciones de "Cri-Cri" tienen títulos. También los cuentos tienen títulos. Un título muestra la idea principal de un cuento. Un buen título hace que te intereses en el cuento.

ACTIVIDAD A Lee el cuento sobre la escuela de la señora Inés. Piensa en un título para el cuento. Escoge el mejor título y escríbelo en tu papel.

Los niños de la escuela de la señora Inés están tristes. La señora Inés se va. Le quieren dar un regalo. Cada niño tiene que dibujar a un amigo. Después, todos ponen sus dibujos en un papel. A la señora Inés le gusta mucho su regalo.

¿Cuál es el mejor título para este cuento?
a. Un día de fiesta
b. Un regalo de los niños
c. La señora Inés dibuja

ACTIVIDAD B   Lee el cuento sobre Pelusa. Piensa en un buen título para el cuento. Escribe el título en tu papel.

Pelusa era una perrita muy curiosa. Vivía en una casa con Fifí y sus gatitos. A Pelusa le gustaban mucho los gatitos de Fifí. Pero un día Fifí se fue y no regresó. Pelusa fue a la canasta de los gatitos. Los lavó y los cuidó. Hasta durmió con ellos. ¿Se creía Pelusa gata? ¿Creía Pelusa que los gatitos eran perritos? De todos modos, Pelusa era una buena mamá para los gatitos.

¿Cuál es el mejor título para este cuento?

a. La gata fabulosa

b. La perrita que se creía gata

c. Los perritos tristes

El unicornio

Lada Josefa Kratky

"Cri-Cri" escribe y canta canciones lindas. En este cuento, Leonor tiene un amigo que hace cosas fabulosas. Ella no puede ayudar a hacerlas, pero sí puede ayudar a su amigo. Vamos a ver cómo lo hace.

Son las dos de la tarde. Los niños salen de la
escuela con sus amigos. Pero Leonor sale sola.
Corre por la calle de la escuela. Corre por las
pequeñas calles del pueblo. Llega a la calle principal
del pueblito. Corre otra cuadra y entra a una
pequeña tienda. Dice:

—Buenas tardes, don Blas.

—Buenas tardes, Leonor —dice don Blas—.
Llegas a tiempo. Voy a comenzar.

—¿Qué va a hacer? —pregunta Leonor.

—Voy a hacer un unicornio —dice don Blas.

—¿Qué es un unicornio? —pregunta Leonor.

—Es un animalito mágico —dice don Blas—.
Es muy tímido. Por eso, mucha gente no lo
conoce.

Leonor mira los animales de vidrio que hay en
la tienda. Ve caballos y chivos, gallinas y pollitos,
peces y aves. Todos son muy bonitos, pero no
son mágicos.

76

Don Blas se pone a trabajar con el vidrio. Primero, lo calienta. El vidrio caliente se puede doblar y soplar. Las manos de don Blas hacen el trabajo con mucho cuidado. Leonor lo mira.

Poco a poco aparece un animalito. Cuando está listo, Leonor ve que es el más bonito de todos los animales de la tienda.

Con cuidado, don Blas pone el unicornio en una mesita. Una luz lo ilumina. El unicornio parece mágico. Parece volar.

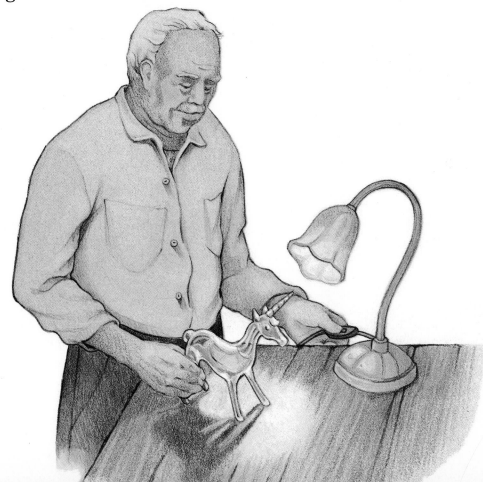

Esa tarde, Leonor va a su casa con don Blas.
Así lo hacen todos los días. Los dos van de la
mano por las calles pequeñas. Cuando llegan a la
casa de Leonor, don Blas dice:

—Hasta mañana, niñita.

—Buenas noches, don Blas —dice Leonor.

Leonor entra a su casa y dice:

—¡Mamá! Don Blas hizo un unicornio. ¿Sabes
que el unicornio es mágico? Y es tímido. Quiero
ser su amiga.

—El unicornio no es un animal de verdad —le
dice su mamá—. Es de cuentos.

—Éste es de verdad —le dice Leonor.

Todos los días, después de la escuela, Leonor corre a la tienda de don Blas. Entra y pregunta, muy afligida:

—¿Se vendió el unicornio?

Y todos los días, don Blas le dice:

—No, niñita, todavía no.

Entonces, Leonor se pone contenta. Quiere ver al unicornio todos los días. Son amigos.

Un día, Leonor sale de la escuela. Corre a la
tienda de don Blas. Pero la tienda está cerrada.
Don Blas no está. Por una ventana pequeña,
Leonor ve al unicornio. Está solito en la mesita.
No hay luz que lo ilumine.

Leonor corre a su casa. Le pregunta a
su mamá:

—¿Dónde está don Blas? No está en la tienda.

—Don Blas está muy enfermo, Leonor —dice
su mamá—. No puede ir a la tienda.

—Quiero ir a verlo, mamá —dice Leonor.

—Llévale esta sopa de pollo —le dice su
mamá—. Le va a hacer bien.

Leonor corre a la casa de don Blas. Lo quiere ayudar. Leonor entra a la sala. No hace ruido. Entra a su cuarto y lo ve en la cama. Tiene los ojos cerrados. Leonor se le acerca. Parece que don Blas la oye porque abre los ojos y dice en voz baja:

—Leonor, ¿cómo está el unicornio?

—Está bien, don Blas —dice Leonor—. Aquí tengo una sopita de pollo.

—Me la tomo más tarde —dice don Blas.

—No, ahora —dice Leonor.

Poco a poco, con la ayuda de Leonor, don Blas se toma toda la sopa.

Al otro día, Leonor visita a don Blas otra vez. Esta vez le trae sopa de pollo y flan. Don Blas se lo come todo. Todos los días Leonor le trae algo nuevo.

A veces, Leonor le lee cuentos a don Blas. Son cuentos de dragones terribles y de unicornios invisibles. Y cada día don Blas se pone mejor. Por fin, un día dice:

—Leonor, creo que mañana voy a ir a la tienda. Estoy mucho mejor, gracias a ti.

A las dos de la tarde del próximo día, Leonor sale de la escuela. Corre a la tienda de don Blas. Mira por la ventanita y lo ve trabajar en la tienda. Mira la mesita para ver si está el unicornio, pero no lo ve. ¡Se vendió el unicornio, su buen amigo!

Leonor se pone tan triste que no puede entrar a la tienda. Corre a su casa. No ve bien el camino y por poco se cae. Quiere estar sola. Entra a la casa y corre a su cuarto. Oye a su mamá que le dice:

—¡Leonor! ¿Sabes lo que pasó?

Pero Leonor no quiere saber nada. Ya no va a ver a su amigo, el unicornio, otra vez. Leonor se tira en la cama. Pero una pequeña luz parece que la llama. Viene de la mesita de noche.

Leonor mira. Cierra y abre los ojos. Mira otra vez y se ríe.

—¡Unicornio, mi querido amigo! ¡No te vendieron! —dice Leonor—. Gracias, don Blas. Usted es un amigo muy querido.

Preguntas

1. ¿Adónde va Leonor todos los días?
2. ¿Por qué le gusta el unicornio a Leonor?
3. Cuando don Blas está enfermo, ¿qué hace Leonor?
4. ¿Por qué crees que don Blas le regala a Leonor el unicornio?

Aplicación de destrezas de lectura
Combinación de consonantes *bl, fl*

Escribe del 1 al 4 en tu papel. Lee cada oración y escoge la sílaba que le falta a la palabra incompleta. Escribe la palabra completa en tu papel.

1. Eva está triste y a___gida.

       fi   fri   fli

2. Lee un cuento de unos dragones terri___.

      bles   bes   bres

3. Después, lee un cuento de enanitos invisi___.

      bes   bles   bres

4. En un cuento, todo es posi___.

      bre   be   ble

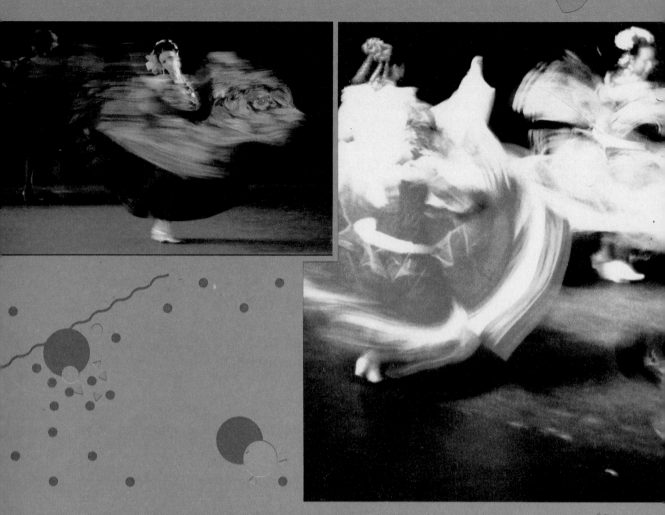

Las danzas de México

Lilian Rojas

En todo el mundo, la gente baila. Algunos
bailes son alegres, y otros son tristes. Hay bailes
típicos de muchos lugares. A través de ellos se
ve cómo vive y cómo piensa la gente. Vamos a
ver cómo son algunos bailes de México.

Éste es el Ballet Folklórico. El Ballet Folklórico
es un grupo que hace danzas de México. Las
danzas son muy bonitas. Cuando la gente va a
ver el Ballet Folklórico, hay música alegre. Hay
ropa típica de muchos colores. La gente se ríe y
todos aplauden.

El Ballet Folklórico hace muchas danzas.
Cada una es típica de alguna región de México.

Ésta es la Danza del Quetzal. Muchos bailes son como cuentos. La Danza del Quetzal es el cuento de un ave. El quetzal tiene plumas de muchos colores. Algunas plumas del quetzal son muy largas.

Para hacer este baile, el bailarín se pone ropa de los colores del quetzal. Se pone muchas plumas largas en la cabeza.

El quetzal vuela rápido por los árboles. Así, el bailarín baila rápido por el escenario, como un quetzal de verdad.

Otra danza se llama la Danza de las Sembradoras. Esta danza se baila en tiempos de cosecha, cuando se recogen los frutos de las plantas. Los bailarines dan gracias por la buena cosecha.

Las sembradoras se ponen rebozos de muchos colores. Cuando las bailarinas bailan en fila, los rebozos parecen un jardín de flores.

Después de la Danza de las Sembradoras, se baila el Jarabe Tapatío. El Jarabe Tapatío es la danza más famosa de México. Se baila con el sombrero típico de México.

La ropa que se ponen los bailarines es de muchos colores. El caballero se pone botas y un sombrero. Las botas hacen un sonido muy bonito. "Tipi tape, tipi tape" se oye cuando baila. Después de bailar, el caballero tira el sombrero al piso.

Ahora, la señorita baila alrededor del sombrero del caballero. Al bailar, le brilla la ropa. Parece que tiene pequeñas estrellas en la ropa.

La señorita baila tan rápido que es difícil ver el águila que lleva en la ropa. El águila es el ave nacional de México. Y el Jarabe Tapatío es la danza nacional de México. Se baila en todo México, desde Sonora hasta Yucatán.

Esta danza también es muy famosa. Es la Danza de los Viejitos. Los que la bailan son unos muchachos muy felices. Al bailar, se parecen a unos abuelitos. Esto es porque se ponen unas máscaras de viejitos.

Las máscaras son muy curiosas y no son difíciles de hacer. Algunas máscaras tienen narices grandes, y otras tienen narices pequeñas. Algunas son bonitas y otras feas. Pero en todas, los viejitos se ríen. Están felices.

A veces, un muchacho toca una jarana. La
jarana se parece a una guitarra chiquita. La
música de la jarana es muy bonita. Ayuda a los
viejitos a bailar.

En las escuelas, se conoce bien la Danza de
los Viejitos. Los niños hacen las máscaras en
sus clases y aprenden el baile. Después lo
bailan cuando hay día de fiesta. Al bailar,
parece que los niños dicen: "Me gusta ser
viejito".

Éstas son sólo algunas de las danzas de
México. Hay muchas más. Se ven cada vez que
hay días de fiesta, o cuando llega un día
importante.

Es entonces cuando todos se arreglan,
toman un instrumento de música y se ponen a
bailar. En los bailes se ven todos los colores de
México. Se oye la música de México. Y se oye
a la gente decir: "¡Viva México!"

Preguntas

1. ¿Cuándo se baila la Danza de las Sembradoras?
2. ¿Cuál es la danza nacional de México?
3. ¿Cómo son las máscaras de la Danza de los Viejitos?
4. ¿Qué danza te gusta más? ¿Por qué?

Aplicación de destrezas de lectura
Combinación de consonantes *cl, gl, pl*

Escribe del 1 al 4 en tu papel. Lee cada oración y escoge la sílaba que le falta a la palabra incompleta. Escribe la palabra completa en tu papel.

1. Los niños aprenden a bailar en la
   ____se de baile.

   ca   cla   cra

2. Para la Danza del Quetzal, se ponen
   ____mas en la cabeza.

   pu   pru   plu

3. Las señoras se arre____ y salen a bailar.

   glan   gan   gran

4. Después del baile, todos a____den.

   plau   pau   prau

El florón

El florón anda en las manos, en las manos,
Y en las manos lo han de hallar,
Adivinen quién lo tiene, quién lo tiene
O se queda de plantón.
(Hablado)–¿Quién lo tiene?–

Tradicional

96

El flo - rón an-da en las ma - nos, en las ma - nos, Y en las

ma - nos lo han de ha - llar, A - di - vi - nen, quién lo

tie - ne, quién lo tie - ne O se que - da de plan - tón.

(Hablado) —¿Quién lo tiene?—

Máscaras

Esther M. Navarro

Las máscaras son muy divertidas. Mucha gente se las pone para ir a fiestas de disfraces. Algunas danzas, como la Danza de los Viejitos, se bailan con máscaras. Vamos a ver cómo se hacen algunas máscaras.

Estas máscaras no son difíciles de hacer.
Se hacen de cartulina. Vamos a aprender a
hacer la máscara del perro que se ve aquí.

Para hacer esta máscara,
se necesita cartulina, engrudo,
tijeras, yeso, papel y pintura.

Primero, la cartulina se
corta por las esquinas, como
se ve en el dibujo.

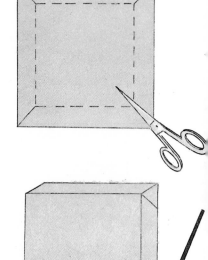

Después, se pegan las
esquinas para hacer la
máscara.

Ahora, se cortan los ojos
del perrito. Así el que se pone
la máscara va a poder ver bien.

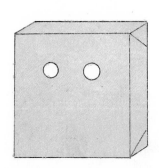

Ahora, se hace el hocico del perrito con otro pedazo de cartulina. Primero, se hace un cono.

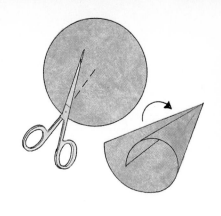

Se hace un cono largo para hacer un hocico largo. Se hace un cono pequeño para hacer un hocico pequeño.

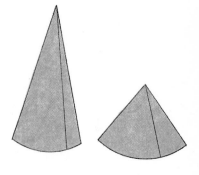

Después, se corta el cono un poco por un lado.

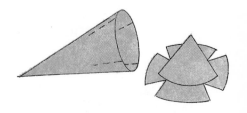

Se corta el centro de la máscara, en el lugar donde se va a pegar el hocico. El hocico se pega debajo de los ojos, en el centro de la máscara.

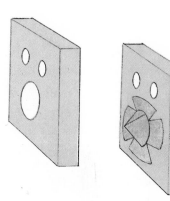

Después de hacer el hocico,
se hacen las orejas. Se hacen
con dos triángulos de
cartulina. Los triángulos se
cortan un poco por un lado.

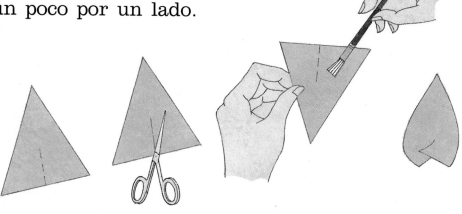

Las orejas se pegan a la
máscara con engrudo. Todo
esto se tiene que secar bien.

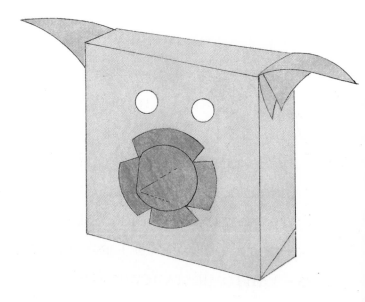

Cuando la máscara está bien seca, se le pegan tiritas de papel con engrudo. Estas tiritas se pegan por toda la máscara.

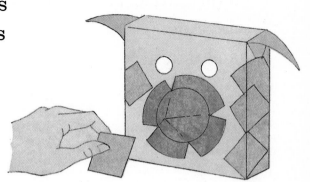

Las tiritas se pegan también en el hocico y en las orejas. Se pegan bien con el engrudo entre los ojos y por todos lados.

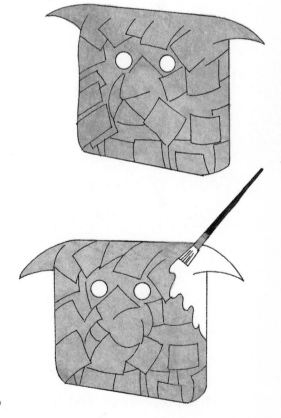

Después, la máscara se pone a secar otra vez. Cuando está bien seca, se prepara el yeso. Se le pone mucha agua. Y después, se pinta toda la máscara con yeso. Así es como se hace el "papier mâché".

Para secar la máscara, se pone mucho papel debajo de ella. Así, la cartulina no se cae hacia adentro.

Cuando la máscara está bien seca, se pinta. Se puede pintar de un solo color o de muchos colores. Las orejas no tienen que ser del mismo color. El perrito puede estar contento o puede estar triste.

La máscara se puede amarrar con un pedazo de estambre.

Aquí está la máscara completa. Ahora, puedes hacer otras. Mira las máscaras que están en las páginas 98 y 99. Tú las puedes hacer.

El burro tiene las orejas más largas y un hocico más grande. Las orejas del gato son más pequeñas y el hocico es pequeño. El gallo no tiene ni orejas ni hocico.

Ahora que ya sabes cómo se hacen las máscaras, puedes preparar una obra de teatro, o hacer una fiesta de disfraces.

Preguntas

1. ¿Qué se hace primero con la cartulina?
2. ¿Para qué es el cono?
3. ¿Cómo se hace el "papier mâché"?
4. ¿Qué máscara quieres hacer tú? ¿Por qué?

Aplicación de destrezas de lectura
Palabras en el contexto

Lee las oraciones. Busca el significado de las palabras subrayadas. Escribe las palabras y su significado en tu papel.

1. La nariz va en el centro de la máscara.

    en medio   al lado
    arriba   abajo

2. La máscara se amarra con estambre.

    lápiz   papel
    engrudo   hilo

3. Cuando la máscara esté completa, póntela.

    primera   lista
    bonita   rica

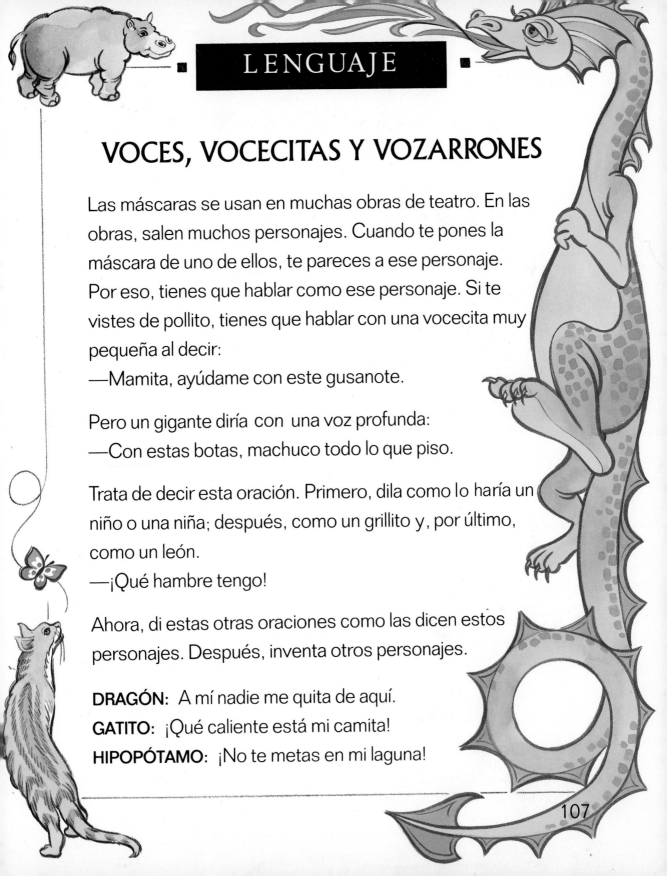

VOCES, VOCECITAS Y VOZARRONES

Las máscaras se usan en muchas obras de teatro. En las obras, salen muchos personajes. Cuando te pones la máscara de uno de ellos, te pareces a ese personaje. Por eso, tienes que hablar como ese personaje. Si te vistes de pollito, tienes que hablar con una vocecita muy pequeña al decir:

—Mamita, ayúdame con este gusanote.

Pero un gigante diría con una voz profunda:

—Con estas botas, machuco todo lo que piso.

Trata de decir esta oración. Primero, dila como lo haría un niño o una niña; después, como un grillito y, por último, como un león.

—¡Qué hambre tengo!

Ahora, di estas otras oraciones como las dicen estos personajes. Después, inventa otros personajes.

DRAGÓN: A mí nadie me quita de aquí.

GATITO: ¡Qué caliente está mi camita!

HIPOPÓTAMO: ¡No te metas en mi laguna!

Los músicos de Bremen

Versión de Margaret Lippert

Los amigos se ayudan de muchas maneras.
En este cuento unos animales amigos tienen un
problema. Vamos a ver cómo se ayudan.

Burro	Jefe de los ladrones
Perro	Grandullón
Gato	Chiquitín
Gallo	Narrador

Primer acto

Narrador: Un burro y su amo vivieron felices por muchos años. Al burro le gustaba mucho trabajar. Pero una mañana, su amo le dijo a un amigo que el burro ya estaba viejo y lo iba a vender. El burro lo oyó.

Burro: No lo puedo creer. Después de trabajar día y noche, me van a vender porque estoy viejo. Me voy a ir de aquí. Me voy al pueblo de Bremen. Voy a ser músico.

Narrador: Al otro día, el burro se dirigió hacia el pueblo. En el camino, vio a un perro.

Burro: ¿Qué haces aquí?

Perro: Tengo que dormir un rato. Corrí mucho y ya no puedo más.

Burro: ¿Y adónde vas?

Perro: No sé. En casa ya no me quieren porque estoy viejo. Ya no puedo correr tan rápido como corría hace años. El otro día, un zorro se llevó una de las gallinas, y ahora todos están muy enojados. Ya no me quieren dar de comer.

Burro: Voy a ir al pueblo de Bremen y voy a ser músico. Tú tienes una linda voz. Ven conmigo.

Narrador: Entonces, el perro se fue con el burro. Al rato, los dos amigos vieron a un gato. Estaba muy triste.

Burro: ¿Qué te pasa? ¿Por qué estás tan triste?

Gato: ¡Ay, estoy muy viejo! Y corro muy despacio. En mi casa ya no me quieren. Mi amo dijo que me iba a tirar a la laguna. Y no sé nadar. ¿Qué voy a hacer?

Burro: Ven al pueblo de Bremen con el perro y conmigo. Vamos a ser grandes músicos. Con tu voz tan linda, tú nos puedes ayudar. Así vamos a ganar dinero para comer.

Narrador: Y así, los amigos siguieron contentos por el camino hacia Bremen. Poco después, vieron a un gallo que cantaba.

Burro: ¿Por qué cantas a esta hora? Es tarde. ¿Qué pasa?

Gallo: Es la última vez que canto. Todos se quejan de que estoy muy viejo y no los despierto por la mañana. Oí que decían que esta noche me van a poner en la sopa.

Burro: ¡Pues ven a Bremen! Vamos a ser músicos. Con tu lindo canto nos vamos a hacer famosos.

Narrador: Así fue como el gallo se dirigió hacia Bremen con el burro, el perro y el gato.

Segundo acto

Narrador: Los amigos caminaron mucho ese día, pero no llegaron a Bremen. Llegó la noche, y tenían que buscar un lugar donde dormir. En eso, vieron una luz a lo lejos. Como era tarde y tenían hambre, se dirigieron hacia la luz. Poco después, vieron una casa.

Burro: Parece que hay alguien ahí. Quédense aquí. Me voy a asomar por la ventana.

Narrador: El burro se acercó a la casa y miró por la ventana. Vio a unos ladrones en la cocina. Vio mucho oro en la mesa y mucha comida.

Burro: ¡Qué extraordinario! ¡Mira ese postre! Aquí nos vamos a quedar. Pero los ladrones se tienen que ir.

Narrador: El burro corrió adonde estaban sus amigos y les explicó lo que tenían que hacer. Primero, el burro se acercó a la ventana. Después, el perro se subió al lomo del burro, el gato se subió al lomo del perro, y el gallo voló al lomo del gato. Entonces, todos empezaron a cantar. En eso, los animales se cayeron por la ventana. Los ladrones se asustaron y se fueron.

Burro: ¡Amigos, asustamos a los ladrones!

Perro: ¡Mira toda esa comida!

114

Narrador: Entonces, los amigos se sentaron y comieron hasta que se llenaron.

Gato: Creo que es hora de dormir. Voy a dormir al lado de la chimenea.

Perro: Yo voy a dormir al lado de la puerta.

Burro: Y yo en el jardín, al lado de ese rastrillo.

Gallo: Creo que me voy a subir al techo. ¡Hasta mañana!

Narrador: No muy lejos de la casa, los ladrones estaban muy enojados. Pensaban en la comida y en las monedas de oro que ya no tenían. Poco a poco se acercaron otra vez a la casa.

Jefe: Parece que todos se fueron. Vamos a entrar.

Grandullón: Pero, Jefe, primero tenemos que ver si ya se fueron. Asómate, Chiquitín.

Chiquitín: ¿Y por qué yo? Ve tú. Yo no quiero ir.

Jefe: Sí, mejor ve tú, Grandullón. Mira bien por toda la casa. Si todos se fueron, llámanos. Ve con cuidado.

Chiquitín: Entra en la casa con cuidado. Sabes que la puerta hace ruido cuando se abre.

Narrador: Grandullón corrió hacia la casa. Iba con mucho cuidado. Con cuidado abrió la puerta. Cuando la abrió, hizo un poco de ruido. El gato abrió los ojos. Y cuando el ladrón los vio, pensó que era una luz. Se acercó para ver mejor y ¡qué sorpresa se llevó! El gato saltó y lo arañó. Cuando el ladrón corrió hacia la puerta, el perro se le metió en el camino. Y cuando salió de la casa, se encontró con el burro. Y un rastrillo le dio en la cabeza.

Grandullón: ¡Ay, no! ¡Ya no!

Gallo: *(desde el techo)*
¡QUIQUIRIQUÍ!

Narrador: El ladrón corrió y corrió hasta el lugar donde estaban los otros.

Jefe: ¿Qué te pasa? ¡Te ves terrible!

Grandullón: ¡Yo ahí ya no me meto! ¡Ay, ay, ay! La próxima vez vas tú.

Chiquitín: Bueno, no te quejes. Dinos qué te pasó.

Grandullón: Los que están en la casa son muy peligrosos. El de la chimenea me arañó. El que estaba en la puerta se me metió en el camino. El del jardín me pegó con algo enorme. Y el que estaba arriba del techo gritó: "¡QUÍTATE DE AQUÍ!"

Jefe: ¡Ay! Pues, vámonos de aquí.

Narrador: Así fue como los ladrones desaparecieron. Los animales se quedaron en esa casa que estaba llena de comida. Y quién sabe, a lo mejor todavía viven allí. A lo mejor todavía tocan su música bajo las estrellas.

Preguntas

1. ¿Por qué iban los animales a Bremen?
2. ¿Qué vieron los animales por la noche a lo lejos?
3. Cuando los animales asustaron a los ladrones, ¿en qué se parecían a unos músicos?
4. Si fueras uno de los animales, ¿cómo habrías asustado a los ladrones?

Aplicación de destrezas de lectura
Predecir resultados

Usa oraciones completas para contestar estas preguntas sobre el cuento. Escribe las oraciones en tu papel.

1. ¿Qué crees que le habría pasado al burro si se hubiera quedado en la casa de su amo?
2. ¿Dónde crees que habrían dormido los animales si no hubieran visto la luz?
3. ¿Qué crees que les habría pasado a los animales si no hubieran asustado a los ladrones?

Margaret H. Lippert

Me gusta contar tres clases de cuentos: los cuentos sobre algo chistoso o interesante que le pasó a alguien de mi familia; los cuentos populares; y los cuentos que yo invento, que nadie jamás ha oído, ni se ha imaginado.

Me encanta contar cuentos y escribirlos en papel. Cuando me piden que escriba un cuento, me da miedo porque no sé cómo comenzar. También me da mucha alegría porque sé que viviré ese cuento por un rato.

Siendo escritora, no sé a quiénes llegarán mis palabras. Por eso, me encanta ser escritora. No te conozco, pero al leer estas palabras, tú me conocerás a mí un poquito. Y eso me gusta.

Pensemos en los relatos de
Campo blanco

Los relatos de esta Unidad tratan de cosas bonitas
hechas por diferentes personas. Una niña descubre
unos dibujos hechos hace muchos años. Otra aprende a
cocinar comidas curiosas. Una niña ve a su amigo hacer
cosas fabulosas de vidrio. Y otra hace dibujos mágicos
en la computadora. Conociste a Calder, quien hizo un
pequeño circo, y a "Cri-Cri", el grillito cantor. Leíste cuentos
sobre danzas y máscaras, y sobre animales músicos.

1. Leíste relatos sobre muchas cosas hechas a mano.
   ¿Cuál te gustaría aprender a hacer?
2. ¿Con cuál de las cosas hechas a mano se puede
   jugar?
3. ¿En qué se parecen Calder y "Cri-Cri"?
4. Escribe unas oraciones sobre una comida curiosa que
   quieres preparar. Inventa un nombre para tu comida.

NIVEL 7, UNIDAD 2

Había una vez . . .

Había una vez un barco chiquitico,
que no podía, que no podía navegar;
pasaron 1, 2, 3, 4, 5, 6, 7 semanas
y el barquito, y el barquito no podía
navegar,
y si la historia no les parece larga,
y si la historia no les parece larga,
y si la historia no les parece larga,
volveremos, volveremos, volveremos a
empezar.
Había una vez . . .

EXPRESIONES

Argentina Palacios

El mundo de los cuentos es el mundo de la imaginación, donde todo puede pasar. Hay toda clase de cuentos. Y hay muchas maneras de contarlos. Los cuentos se pueden escribir, se pueden contar en voz alta, se pueden contar a través de dibujos y se pueden ver en el teatro. Vamos a ver cómo los cuentan algunas personas.

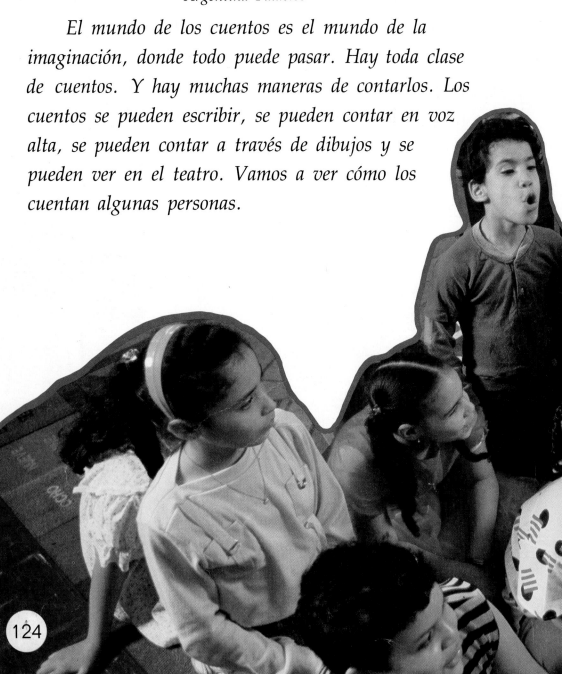

~ Argentina Palacios, *cuentista* ~

Vamos a ver el mundo de los cuentos y los cuentistas. Las personas que cuentan cuentos se llaman narradores. Algunos las llaman "cuentistas" y otros, "cuentacuentos". Yo, Argentina Palacios, soy una de estas personas. Un día puedo estar en una biblioteca, otro en una escuela, o en un museo, o en un zoológico. Voy allí a decir cuentos.

A veces digo los cuentos que me contaron mis abuelos. Otras veces leo un cuento de un libro que alguien escribió. Se lo cuento a mi familia antes de decirlo frente al público. Lo ensayo muchas veces en mi casa.

Cuando hago el cuento en público, unas veces me siento en una silla o en el piso. Otras veces me quedo de pie. Los niños me ayudan a decir ciertos cuentos, como es el caso del que les voy a contar aquí. Les voy a contar el cuento de "La apuesta del gallo y el coyote". Los niños dicen lo que dice el gallo y lo que dice el coyote. ¿Listos?

El gallo y el coyote se encontraron una mañana temprano. El gallo le dijo al coyote:

—Te apuesto a que el sol sale cuando yo lo llame.

El coyote le dijo:

—Te apuesto a que sale cuando lo llame yo.

—Vamos a ver —dijo el gallo—. Yo lo llamaré primero. ¡Quiquiriquí!

El sol no salió. El coyote dijo:
—Ahora lo llamaré yo. ¡Auuu!

El sol tampoco salió. El gallo dijo:
—Ahora sí que me oirá. ¡Quiquiriquí!

Pero no pasó nada. El coyote dijo:
—A mí sí que me oirá. ¡Auuu!

Nada. Entonces, el gallo dijo:
—Esta vez cantaré lo más fuerte que pueda. ¡QUIIIIQUIIIIRIIIIQUIIIÍ!

Por detrás de las nubes empezó a salir el sol, amarillo y brillante. El coyote se dijo que si el gallo podía hacer salir al sol, él también podía hacer salir algo.

Caminó, caminó y caminó. Era tarde cuando llegó al pie de una loma. El sol ya se iba a dormir. El coyote miró hacia el cielo y aulló:
—¡Auuu!

Pero no pasó nada. El coyote dijo:
—¿Será posible? Aullaré otra vez. ¡Auuu!

Tampoco pasó nada esta vez. El coyote dijo:
—Aullaré lo más fuerte que pueda. ¡AUUUUU!

Y entonces, el coyote vio subir por el cielo una gran bola de luz, que era la luna.

Esto pasa todos los días. Pero si el gallo no canta en voz muy alta, vemos al sol muy poco. Y si el coyote aúlla en voz baja, sale una luna muy chiquita.

∾ Ray Cruz, *ilustrador de libros* ∾

Fíjate si hay algún mural cerca de tu casa. Un mural cuenta un cuento. El cuento se cuenta a través de una serie de dibujos sin usar ni una sola palabra. Mira algunos libros o revistas. Muchos de ellos están llenos de dibujos que expresan ideas. Ray Cruz es ilustrador de libros. Él ayuda a la persona que escribe un libro a contar el cuento.

Primero, Ray Cruz lee lo que escribió el autor o la autora del cuento. Después, piensa en cómo son los personajes, qué sienten, cómo se sienten. A veces, el autor o la autora del libro le da una idea de cómo debe ser un personaje. Otras veces, él o ella solo se lo imagina. Lo importante es que el dibujo muestre lo que está pasando en el cuento.

Vamos a ver un dibujo de un niño llamado Alexander que tiene un día terrible, horrible, pésimo. Mira el dibujo. Es un dibujo que aparece en un libro ilustrado por Ray Cruz.

Mira este otro dibujo. Sabes cuál es Alexander, ¿verdad? ¿Puedes adivinar qué le pasa?

Ray Cruz ha ilustrado unos doce libros. Tres de ellos son *What Are You Going To Do About Andrew?* de Marjorie Sharmat, *You Think It's Fun To Be a Clown?* de David Adler y *Felita* de Nicholasa Mohr. Si encuentras alguno de ellos, vas a ver unas ilustraciones muy lindas. Hay ilustraciones de personas, de cosas reales y de cosas fantásticas . . . y unos animales verdaderamente fabulosos.

~ Josefina Monter, *artista* ~

La gente también se expresa a través del teatro. Algunos actores usan máscaras en obras de teatro y en bailes. Estas máscaras los ayudan a contar un cuento.

Josefina Monter hace máscaras. Las hace *para* los niños y *con* los niños. Ella hizo todas las máscaras para una obra de teatro sobre *El pájaro Cú*, presentada por el teatro infantil bilingüe *The Bubble Players/Burbujas.*

Josefina también trabaja con los niños en talleres, en las escuelas y en las bibliotecas. Ayuda a los niños a crear sus propias máscaras. A veces sólo se pintan la cara. Pero otras veces las hacen con cartón u otros materiales.

—Las máscaras —nos dice—, tienen una especie de poder mágico. Cuando uno se pone una máscara se siente como si fuera otra persona.

En otras palabras, si te pones una máscara de águila puedes empezar a mover tu cuerpo como lo haría un águila (sin volar, claro, eso sólo lo hace el ave). Si te pones una máscara de persona anciana, te puedes sentir como una persona mayor y así, por el estilo.

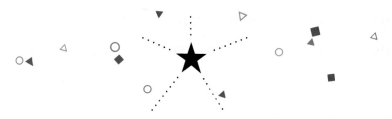

Hemos conocido a tres personas que se expresan de tres maneras distintas. Argentina Palacios, Ray Cruz y Josefina Monter viven y trabajan en la ciudad de Nueva York.

Hay muchas otras personas en diferentes lugares que se expresan de éstas y de otras maneras. ¿Qué ves en el cine o la televisión? ¿Presentan comedias en tu escuela? ¿Conoces a alguien que toca la guitarra, la flauta, o algún otro instrumento? ¿Te gusta bailar o cantar? Empezamos una lista, ¿te diste cuenta? Piensa en otra forma de expresión que conoces. Y sigue tú la lista. Te prometemos que va a ser algo fácil y divertido.

Preguntas

1. ¿Dónde dice sus cuentos Argentina Palacios?
2. ¿Cómo ayuda a contar cuentos Ray Cruz?
3. ¿Qué hace Josefina Monter?
4. ¿Cuáles son algunos de tus cuentos favoritos?

Aplicación de destrezas de lectura
El futuro

Lee las oraciones siguientes. Pon el verbo subrayado en el futuro. Escríbelo en tu papel.

1. El coyote aúlla de noche.

    aulló   aullará   aullaba

2. El aullido se oye a medianoche.

    oirá   oía   oyó

3. Es tarde.

    Fue   Era   Será

4. ¿Quién llama a la luna?

    llamó   llamaba   llamará

RUEDA DE PALABRAS

Los narradores como Argentina Palacios eligen las palabras con mucho cuidado para que sus cuentos sean interesantes. Siempre tratan de no repetir demasiado las palabras. Usan diferentes palabras para decir las mismas cosas.

Aquí, en esta rueda de palabras, se ven diferentes maneras de decir que alguien *fue* a un sitio.

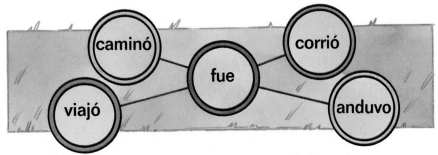

Copia la rueda de palabras en tu papel. Escribe una oración con cada palabra.

Ahora, completa esta rueda de palabras vacía con otras maneras de decir que alguien *dijo* algo.

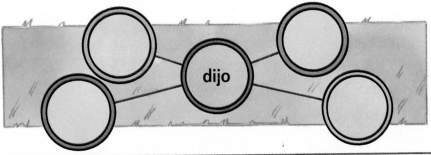

137

Pregón

¡Acérquense por aquí!
¡Cambio y compro,
compro y vendo,
un cuento por otro cuento!

En mi costal de remiendos
traigo cuentos, cuenticuentos,
leyendas, coplas, en fin,
cosas de los tiempos idos
—para volverse a vivir—
y cosas de los tiempos nuevos.

¿Quién me cambia? . . . ¡Cambio y vendo
un cuento por otro cuento!

En mi costal de hilos viejos
traigo cuentos de conejos.

En mi costal de hilo y parches
traigo cuentos de tlacuaches.

En mi costal con tirantes
traigo cuentos de elefantes.
En mi costal de hilo y pluma
traigo cuentos de la luna.

En mi costal sin zapatos
traigo el cuento de unos gatos.

En mi costal hecho a mano
traigo el cuento de un enano.

Y en el costal que te di
traigo un cuento que perdí.

¡¿Quién me cambia?!
¡Cambio y vendo, un cuento por otro cuento!

¡Miren que no soy de aquí
y me voy dentro de un rato!
¡Cámbienme gato por liebre
y también liebre por gato!
¡Cambio, vendo, compro, aparto . . . !
¡Acérquense, hacemos trato!

Antonio Ramírez Granados

La araña en el cielo

adaptación de Anne Rose
ilustraciones de Gail Owens

Los indígenas de este país son muy buenos cuentistas. Hace miles de años que cuentan cuentos. Al principio, los contaban para explicar por qué pasaban ciertas cosas. Todavía cuentan los mismos cuentos. Este señor es un narrador cheroquí. Cuenta cuentos muy antiguos. En uno de ellos explica cómo se hizo la Tierra. En otro, explica por qué los topos viven bajo tierra. El cuentista cuenta y vuelve a contar sus cuentos. De esta manera, la gente no se olvida de ellos.

El cuento que el cuentista cheroquí nos va a contar explica cómo llegó la luz del Sol a la Tierra. Es un antiguo cuento cheroquí, en el que una pequeña arañita ayuda a sus amigos. Para hacerlo, se va de viaje por el espacio.

Aquí empieza el cuento "La araña en el cielo".

Hace mucho, muchísimo tiempo, no había luz ni calor en el mundo de los animales. Los animales tanteaban las cosas en la oscuridad y temblaban de frío.

—Lo que necesitamos es fuego y luz —dijo Coyote.

—Fuego y luz es lo que necesitamos —dijo Cuervo—. Estoy de acuerdo con Coyote.

Llamaron a todos a una reunión. Pero estaba tan oscuro que muchos de los animales se perdieron por el camino. Hasta el día de hoy no han aparecido.

Cuando comenzó la reunión, dijo Chacal:

—Hay algo que se llama fuego y luz. Viene del Sol. El Sol se encuentra al otro lado de la loma.

—¡Vamos a buscarlo! —gritaron los animales.

—El problema es que los que tienen el Sol no se lo quieren dar a nadie —dijo Chacal.

—¡Se lo quitaremos! —gritaron.

Al final, escogieron a Zorrillo porque podía esconder el Sol en su gran cola peluda.

A medida que Zorrillo se acercaba más y más al sol, todo se iba poniendo más caliente y brillante. Pero Zorrillo siguió adelante. Después de mucho caminar, llegó al otro lado de la loma. Allí encontró al Sol. Rápido, rápido, partió un pedazo del Sol. Y lo escondió en su cola. Pero el Sol se le escapó de la cola.

—¡Qué lástima! —dijeron los animales cuando el pobre Zorrillo regresó con una raya blanca a lo largo de su peluda cola. Y todavía había oscuridad y frío.

—Me toca a mí —dijo Águila.

Así que Águila se fue volando hacia el este. Como las águilas vuelan muy alto, nadie la vio bajar en picada desde el cielo. Agarró un pedazo del Sol. Se lo puso en la cabeza y se fue volando. Pero el Sol era tan caliente, que le quemó las plumas de la cabeza y se escapó.

—¡Qué lástima! —dijeron los animales cuando la pobre Águila regresó con la cabeza calva. Y todavía había oscuridad y frío.

—Una criatura pequeñita lo puede hacer —dijo una vocecita que salía de la hierba.

Todo el mundo habló al mismo tiempo: —¿Qué? ¿Quién dijo eso?

—Yo soy Abuela Araña —dijo una arañita—. Yo les voy a traer la luz y el calor del Sol.

Cuando los animales dejaron de reír, la Abuela Araña ya había salido. Llevaba amarrada en su tela de araña una ollita de barro. Tejiendo un hilo plateado mientras viajaba, ella también se dirigió hacia el este. Iba tan rápida y callada que nadie se fijó en ella cuando se acercó al Sol. Era muy pequeñita. Sólo necesitaba un pedacito del Sol. Alargó el brazo. Con mucho cuidado le dio un pellizquito al Sol y metió el pedazo en su olla de barro. Entonces, regresó a su casa despacio siguiendo el hilo plateado que ella misma había tejido.

A medida que viajaba, el calor y la luz del Sol la adelantaban. La luz del Sol crecía y el calor aumentaba, como pasa cuando el Sol viaja de este a oeste. Y así fue como hace mucho, muchísimo tiempo, el fuego y la luz llegaron a los animales.

Preguntas

1. ¿Por qué los animales tanteaban las cosas en la oscuridad?
2. ¿Por qué Zorrillo no pudo llevar el Sol a los animales?
3. ¿Por qué crees que los otros animales se rieron cuando la Abuela Araña dijo que iba a llevarles el Sol?
4. ¿Qué habrías hecho tú para conseguir un pedazo del Sol?

Aplicación de destrezas de lectura
Seguir instrucciones

Haz un círculo grande en tu papel. Haz otro círculo más pequeño encima del primer círculo. Haz cuatro líneas iguales que salgan de cada lado del círculo grande.

¿Qué animal es? Escribe el nombre en tu papel.

BUENA SUERTE, ED

James Stevenson

Algunos cuentos explican por qué pasan algunas cosas. Otros cuentos se cuentan sólo para entretener a la persona que los lea o los escuche. Éste es uno de ellos.

Ed vivía en una gran isla de hielo con Betina, Paco, Al y otros pingüinos. Todos los días, los pingüinos jugaban. Tiraban bolas de nieve y corrían. Pero siempre miraban para ver si venía Ernestina, la gran ballena. Cada vez que pasaba . . . ¡PATAPLÁS! Se hacía una enorme ola que mojaba a todos de pies a cabeza.

—¡Ten cuidado! —le gritaba Betina.

—Ernestina ni siquiera se fija en los pingüinos —decía Ed.

Una noche mientras dormía, Ed oyó un
gran ruido. Era un ruido como de hielo que se
partía. Ed creyó que era un sueño.

Cuando se despertó, vio que la isla de hielo
se había partido en dos. Estaba solo en su
propia isla.

Los amigos de Ed se veían cada vez más pequeños mientras la isla se alejaba más y más. Ed siguió mirándolos hasta que no pudo verlos más.

Entonces, caminó por toda la isla. No había nadie. Al final, se encontró con sus propias huellas.

Unos pájaros pasaron volando. Ed los saludó, pero no contestaron. "Creo que estaré aquí el resto de mi vida" pensó Ed.

Al terminar el día, Ed escribió las palabras "ME RINDO" en la nieve. Y se fue a dormir.

Al próximo día, un pájaro lo despertó.

—Hola —dijo el pájaro—. ¿Escribiste eso en la nieve?

—Sí —contestó Ed.

—¿Me puedes escribir algo? —preguntó
el pájaro.

—Creo que sí —dijo Ed—. ¿Qué quieres
que escriba?

—Diles a mis amigos que me vayan a ver al
témpano —dijo el pájaro—. Después, pon mi
nombre. Me llamo Talbot.

Talbot salió volando y Ed escribió
el mensaje:

VAYAN A VER A TALBOT AL TÉMPANO

Al poco tiempo los amigos de Talbot
pasaron volando. Leyeron el mensaje. Saludaron
a Ed. Ed también los saludó.

Durante todo el día, los pájaros fueron allí y le pidieron a Ed que les escribiera mensajes. A la tarde, toda la isla estaba llena de mensajes. Ed ya no podía más.

Talbot voló bajito y le dijo:
—¿Por qué estás triste?

—Extraño a mis amigos que están en mi otra isla —dijo Ed.

—¿Dónde está tu isla? —preguntó Talbot.

—Por allí, muy lejos de aquí —dijo Ed.

—¡Qué lástima que no puedas volar! —dijo Talbot—. La podrías ver desde el cielo.

—Sí, pero no puedo volar —dijo Ed.

—No es muy difícil —dijo Talbot.

—Para los pingüinos sí lo es —dijo Ed.

Talbot se fue volando.

"Creo que pasaré toda mi vida escribiendo estos mensajes" pensó Ed.

Cuando Ed se despertó al próximo día, encontró una sorpresa.

ED - HAY UN MENSAJE PARA TI
SIGUE LAS SEÑALES

Ed siguió las señales hasta que llegó a otro mensaje.

SIÉNTATE AQUÍ Y ESPERA →

Ed se sentó en la X y esperó.

En eso hubo un gran ¡PATAPLÁS! y Ed quedó todo mojado. Era Ernestina, la ballena.

—He oído que quieres regresar a tu isla —dijo Ernestina.

—¿Cómo lo sabes? —preguntó Ed.

—Me lo contó Talbot —dijo Ernestina—. Súbete a mi lomo.

—Espera un segundo —dijo Ed—. Tengo que escribir un mensaje.

Ed escribió rápidamente el mensaje en la nieve.

GRACIAS, TALBOT. BUENA SUERTE, Ed

Después, se subió al lomo de Ernestina.

Ernestina sacudió la cola tres veces, y salieron volando por las aguas.

—¡Regresó Ed! —gritó Betina.

—¡Al fin! —gritaron Paco y Al.

Ed se bajó del lomo de Ernestina. Gritó:
—Muchas gracias, Ernestina.

—De nada —dijo Ernestina—. Pero no creas que te puedo llevar todos los días.

—Estamos muy contentos de que estés aquí —dijo Betina.

—Te extrañamos —dijeron Paco y Al.

—Yo también los extrañé —dijo Ed.

¡PATAPLÁS! Cuando Ernestina se alejó, se hizo una enorme ola que mojó a todos de pies a cabeza.

—¡Oh! —gritó Betina—. ¡Otra vez!

—No se fija en los pingüinos —dijo Paco.

—A veces sí —dijo Ed.

Preguntas

1. ¿Quién vivía en la gran isla de hielo?
2. ¿Qué fue lo que Ed oyó mientras dormía?
3. ¿Cómo volvió a reunirse con sus amigos?
4. ¿Crees que Talbot era un buen amigo?
   ¿Por qué?

Aplicación de destrezas de lectura
Sentimientos y motivos de los personajes

¿Cuál de estas características describe a Ed en cada una de estas partes del cuento? Escribe la palabra en tu papel.

útil	triste	feliz	enojado

1. La ballena mojó a Ed.
2. Ed estaba solo en su propia isla.
3. Ed escribió cosas para los pájaros.
4. Ed se reunió con sus amigos.

DESTREZAS

Seguir instrucciones

Talbot, el pájaro del cuento "Buena suerte, Ed", dejó instrucciones en la nieve para que sus amigos se reunieran con él en el témpano. Cuando sus amigos pasaron volando, leyeron el mensaje y siguieron las instrucciones.

ACTIVIDAD A   Lee el cuento. Después, sigue las instrucciones.

Muchos animales pasaron por la isla de Ed para leer los mensajes que éste les había escrito. Pasaron dos pequeños delfines y leyeron un mensaje de su mamá. Pasó un caballito de mar que buscaba a su hermana. Pasaron tres focas, dos pelícanos y un tiburón. Esa noche, Ed estaba cansado de tanto escribir.

1. Escribe una lista de los animales que pasaron por la isla de Ed. Escribe también cuántos de cada tipo de ellos pasaron.
2. Suma el número de animales para averiguar cuántos animales pasaron en total.

160

ACTIVIDAD B   Mira este mapa de un viaje que hizo la ballena Ernestina. Después de leer las preguntas, escribe las respuestas en tu papel.

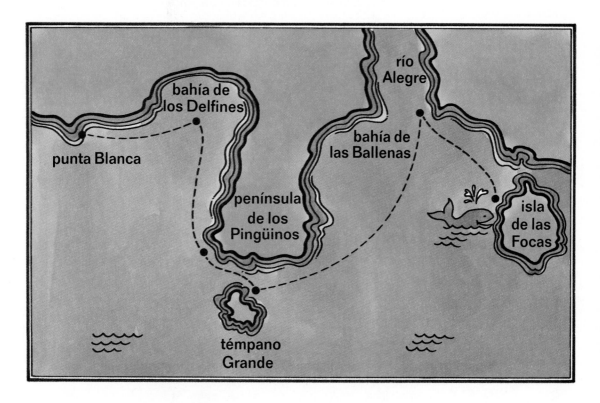

1. ¿De dónde salió Ernestina?
2. ¿Adónde iba?
3. ¿Qué hay cerca de la península?
4. ¿Qué río acaba en la bahía de las Ballenas?

Haz un dibujo de la bahía de los Delfines. Dibújate a ti mismo en un barquito en la bahía.

El mundo del abuelo

Patricia MacLachlan

ilustraciones de Deborah Kogan Ray

Algunos autores nos hacen mirar a través de los ojos de uno de sus personajes. En este cuento, Juan aprende a ver a través de los ojos de su abuelo.

De todas las casas que conozco, la que más me gusta es la del abuelo. Hay otras casas bonitas. Pero la del abuelo es mi favorita. Yo la veo a través de sus ojos.

Mi abuelo es ciego. Él no ve la casa como yo la veo. Él la ve a su manera. Por la mañana, el sol entra por las cortinas y llega hasta mis ojos. Me meto bajo las frazadas para esconderme, pero la luz del sol me sigue. Entonces, tiro a un lado las frazadas y corro al cuarto de mi abuelo.

El sol despierta a mi abuelo de otra manera. Él dice que lo toca y lo despierta con su calor. Me asomo por la puerta.

—Buenos días, Juan.

—¿Dónde está Nana? —le pregunto.

—¿No lo sabes? —dice—. Cierra los ojos, Juan, y mira a través de mis ojos.

Cierro los ojos y escucho. Digo:
—Nana está en la cocina.

Abro los ojos y él me está mirando.

Los ojos de mi abuelo son de un azul claro.
Pero él no ve claramente con esos ojos.

—¡A desayunar! —llama Nana.

—Huele a pan tostado —dice el abuelo.

En el pasamanos de madera de las escaleras
puedes ver las huellas de sus dedos. Bajo las
escaleras y sigo con mis dedos las huellas de
los suyos.

Vamos a desayunar. Nana nos sirve un
plato a cada uno. Cuando mi abuelo comienza a
comer, su plato es un reloj.

—Dos huevos en las nueve y el pan tostado en las dos —dice Nana al abuelo.

—Un poco de mermelada —digo yo— en las seis en punto.

Yo también hago de mi plato un reloj, y como a través de los ojos de mi abuelo.

Después del desayuno lo sigo a otro cuarto. Mi abuelo toma su violoncelo.

—¿Quieres tocar conmigo? —pregunta.

—Escucha —dice mi abuelo—. Voy a tocar una canción que aprendí cuando tenía tu edad. Era la canción que más me gustaba.

Mi abuelo toca y yo escucho. Él aprende las melodías escuchándolas.

—Ahora —dice mi abuelo—, toquemos los dos juntos.

Mi abuelo y yo salimos al jardín de enfrente de la casa. Caminamos hasta el agua. Mi abuelo no siempre fue ciego. Él recuerda el reflejo del sol en el agua.

—Siento el viento del sur —dice.

Yo sé hacia dónde sopla el viento porque veo cómo se mueven los árboles. Mi abuelo lo sabe porque siente el viento en su cara.

Llegamos al agua. Allí veo un pájaro negro con manchas rojas.

—¿Qué pájaro es ése, abuelo?

—¡Con-ca-rii! —canta el pájaro.

—Un mirlo con alas rojas —dice él.

Mi abuelo no puede ver el pájaro, pero oye su canto.

Cuando regresamos a la casa, mi abuelo para de repente. Inclina la cabeza y escucha. Mira hacia el cielo. Susurra:

—Son gansos.

Miro hacia arriba. Veo un grupo de gansos, en forma de V.

Regresamos por un caminito hasta el jardín. Allí Nana pinta unas sillas. Abuelo huele la pintura.

—¿Qué color es, Nana? —pregunta—. No puedo oler el color.

—Azul —le digo—. Azul como el cielo.

—Azul como los ojos del abuelo —dice Nana.

Por la tarde, el abuelo, Nana y yo salimos a leer unos libros bajo un árbol. Mi abuelo lee su libro con los dedos. Los puntitos Braille le dicen las palabras. Mientras lee, se ríe.

—Cuéntanos el chiste —dice Nana—. Lee para nosotros.

Y el abuelo lee.

Después de comer, el abuelo prende la televisión. Yo miro, pero el abuelo escucha. Los sonidos y las palabras le dicen si algo es triste o alegre.

De alguna manera el abuelo sabe cuándo oscurece. Entonces, me lleva hasta la cama. Se inclina para besarme. Me toca la cabeza con las manos. Me dice:

—Necesitas un corte de pelo.

Antes de irse, el abuelo tira de la cuerda para apagar la luz. Él no sabe que la está prendiendo. Me quedo en la cama hasta que se va. Entonces, me levanto y apago la luz.

Después, todo está tan oscuro para mí como para mi abuelo. Escucho los mismos ruidos de la noche que él. Escucho los crujidos de la casa, los pájaros que cantan el último canto del día, el viento que juega con los árboles.

Luego, de repente, oigo el ruido de los gansos. Vuelan por arriba de la casa. Espero que el abuelo los haya oído.

—Abuelo —susurro.

—Son gansos —me contesta.

—Ve a dormir, Juan —dice Nana.

El abuelo dice que la voz de Nana le sonríe.

—¿Qué? —le pregunto a Nana.

—Que te duermas —me contesta Nana.

Lo dice enojada. Pero el abuelo tiene razón. La voz de Nana me sonríe. Lo sé. Porque veo a través de los ojos del abuelo.

Preguntas

1. ¿Qué le enseña su abuelo a Juan?
2. ¿Qué sentidos ayudan al abuelo a "ver"? ¿De qué manera lo ayudan?
3. ¿Qué quiere decir Juan cuando dice que ve "a través de los ojos del abuelo"?
4. ¿Por qué la casa del abuelo es la favorita de Juan?

Aplicación de destrezas de lectura
Sentimientos de un personaje

Lee las oraciones. Las palabras del cuadro describen al abuelo. En tu papel, escribe cada oración poniendo las palabras del cuadro donde correspondan.

activa	bondadoso	inteligente

1. Mi abuelo sabe muchas cosas. Habla tres idiomas. Es muy _____.
2. Mi abuelo cuida el jardín. Nada en la piscina cada día. Lleva una vida _____.
3. Mi abuelo le da comida a los animales. Los cuida si están enfermos. Es _____.

Violín y violón

Tlin . . . Tlin . . .
cantan las cuerdas
de azúcar del violín.
Y su hermanito ronco
el violón,
con su voz de pastel
y crema con limón,
le contesta:
tlon . . . tlon . . .

María Hortensia Lacau

DESTREZAS

Sacar conclusiones

A veces, el autor no te dice todo lo que pasa en el relato. Tú solo tienes que descubrir lo que pasa. Tienes que sacar conclusiones de lo que lees en el cuento y de lo que sabes por experiencia propia.

Lee los cuentos. Contesta las preguntas en tu papel, diciendo qué pasó. Luego, contesta la pregunta sobre cómo sacaste esa conclusión.

ACTIVIDAD A   Cuando dejó de llover, el abuelo salió a la calle. Iba tocando el muro de la casa con la punta del bastón para saber cuándo llegaba a la esquina. En eso, oyó a alguien respirar. El sonido venía de abajo, y notó un olor a pelo mojado. De repente, el abuelo oyó un ladrido.

1. ¿Con qué se encontró el abuelo?
    a. con un gato
    b. con un perro
    c. con Juan

2. ¿Por qué sacaste esa conclusión?

   a. porque el abuelo caminó durante mucho tiempo

   b. porque sólo los perros ladran

   c. porque el abuelo siempre se encontraba con perros cuando iba a pasear

ACTIVIDAD B   El abuelo se acercó a la ventana. Sintió el sol en su piel, pero no hacía calor. Oyó el viento afuera. También oyó el ruido de las hojas movidas por el viento. No había oído ese ruido en todo el verano. Llegó su nieto Juan y le dijo que las hojas de los árboles estaban muy bonitas, todas rojas.

1. ¿De qué se dio cuenta el abuelo?

   a. de que había llegado la primavera

   b. de que había llegado el otoño

   c. de que había llegado el invierno

2. ¿Cómo lo sabía el abuelo?

   a. porque se acercó a la ventana

   b. porque oyó el viento y sintió que ya no hacía calor

   c. porque estaba todo oscuro

La cama

cuento folklórico de Puerto Rico
contado por Pura Belpré
versión en español de Lada Josefa Kratky

Hay cuentos de aventuras en los que pasa una cosa tras otra. Pero hay otros en los que una sola cosa se repite una y otra vez. Éste es uno de ellos. Vamos a ver si este cuento tiene fin.

Había una vez una viejita que tenía una niñita.
A la niñita le gustaba mucho jugar debajo de una
cama muy antigua.

Pero cuando la cama crujía, la niñita tenía
miedo y gritaba:

—¡Ay, ay, ay!

Y la viejita corría a su lado y le decía:

—No tengas miedo, niñita. Es sólo la cama
que cruje porque es antigua.

Y esta misma viejita compró un perrito y se lo regaló a la niñita para que tuviera un amigo.

Pero cuando la cama crujía, el perro ladraba:
—Guau, guau, guau.

La niña gritaba:
—¡Ay, ay, ay!

Y la viejita corría a su lado y les decía:
—No ladres, perrito. No grites, niñita. Es sólo la cama que cruje porque es antigua.

Y esta misma viejita compró un gatito y se lo regaló a la niñita para que tuviera otro amigo.

Pero cuando la cama crujía, el gato decía:
—Miau, miau, miau.

El perro ladraba:
—Guau, guau, guau.

La niña gritaba:
—¡Ay, ay, ay!

Y la viejita corría a su lado y les decía:
—No maúlles, gatito. No ladres, perrito. No grites, niñita. Es la cama que cruje porque es antigua.

Y esta misma viejita compró un ratoncito y se lo regaló a la niñita para que tuviera otro amigo.

Pero cuando la cama crujía, el ratón decía:
—Chiu, chiu, chiu.

El gato maullaba:
—Miau, miau, miau.

El perro ladraba:
—Guau, guau, guau.

La niña gritaba:
—¡Ay, ay, ay!

Y la viejita corría a su lado y les decía:
—No chilles, ratoncito. No maúlles, gatito. No ladres, perrito. No grites, niñita. Es la cama que cruje porque es antigua.

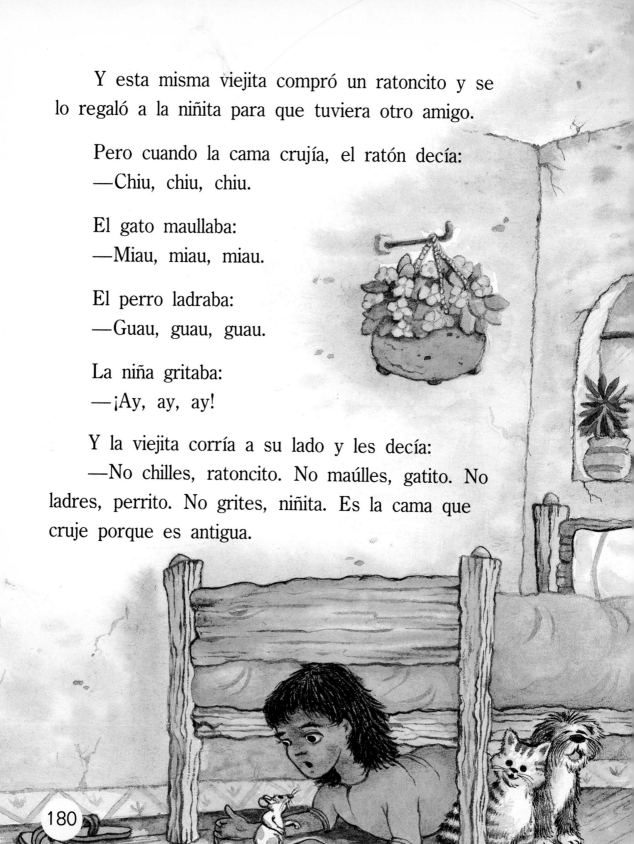

Y esta misma viejita compró un sapo y se lo regaló a la niñita.

Pero cuando la cama crujía, el sapo decía:
—Cro, cro, cro.

El ratón chillaba:
—Chiu, chiu, chiu.

El gato maullaba:
—Miau, miau, miau.

El perro ladraba:
—Guau, guau, guau.

La niña gritaba:
—¡Ay, ay, ay!

Y la viejita corría a su lado y les decía:
—No croes, sapito. No chilles, ratoncito. No maúlles, gatito. No ladres, perrito. No grites, niñita. Es sólo la cama que cruje porque es antigua.

Y un día el viejito vino a casa y se acostó en la cama antigua para descansar.

Pero cuando la cama crujió, él gritó:
—¿Queeeeé?

El sapo croó:
—Cro, cro, cro.

El ratón chilló,
—Chiu, chiu, chiu.

El gato maulló:
—Miau, miau, miau.

El perro ladró:
—Guau, guau, guau.

La niña gritó:

—¡Ay, ay, ay!

Y la viejita corrió a su lado y les dijo:

—No refunfuñes, viejito. No croes, sapito. No chilles, ratoncito. No maúlles, gatito. No ladres, perrito. No grites, niñita. Es sólo la cama que cruje porque es antigua.

Y en ese momento, la cama antigua se rompió.

El viejito se cayó.

El sapito saltó.

El ratoncito corrió.

El gatito brincó.

El perrito se escapó.

Y la niñita se salvó.

Y la viejita era tan valiente que se sentó en el suelo y se rió a carcajadas.

Preguntas

1. ¿Dónde le gusta jugar a la niña?
2. ¿Qué sonidos hacen el sapo y el ratón?
3. ¿Por qué tienen miedo los animales cuando oyen crujir la cama?
4. ¿Dónde creen que jugará ahora la niña?

Aplicación de destrezas de lectura
Sacar conclusiones

Piensa en todo lo que pasó en el cuento. Después, lee las siguientes preguntas y escribe las respuestas en tu papel.

1. Si la cama no se hubiera roto, ¿qué habría pasado al otro día?
   a. La niña habría salido a jugar afuera.
   b. La viejita le habría regalado otro animal a la niña.

2. Ahora que la cama está rota, ¿dónde crees que jugará la niña?
   a. debajo de la mesa
   b. afuera en el jardín

EN LA CIUDAD DE PAMPLONA

En la ciudad de Pamplona
hay una plaza,
en la plaza hay una esquina,
en la esquina hay una casa,
en la casa hay una pieza,
en la pieza hay una cama,
en la cama hay una estera,
en la estera hay una vara,
en la vara hay una lora.
La lora en la vara,
la vara en la estera,
la estera en la cama,
la cama en la pieza,
la pieza en la casa,
la casa en la esquina,
la esquina en la plaza,
la plaza en la ciudad de Pamplona.

Tradicional

Una bicicleta para Andrés

Mauricio Charpenel

Hemos leído cuentos del mundo de ayer y del mundo de la fantasía. Por supuesto, también hay cuentos del mundo de hoy. En este cuento, Laura busca un regalo para su primo. Vamos a ver si encuentra el regalo que busca.

188

Un sábado por la tarde el señor de la Roca fue al centro de la ciudad. Su pequeña hija Laura fue con él. Quería comprar un regalo para su primo Andrés. Andrés no tenía bicicleta. Por eso, Laura le había prometido que para su cumpleaños le iba a regalar una muy bonita. Pero Laura no le había dicho que la bicicleta que le quería regalar ¡era de juguete!

Pensó que éste sería el regalo perfecto para Andrés. Mientras tanto, Andrés se había entusiasmado mucho con la bicicleta que Laura le iba a regalar. Estaba tan contento que hasta le había puesto un nombre. La llamaba "Cleta, mi bicicleta".

Esa tarde, Laura y su papá fueron a muchas tiendas, pero no encontraron ni una sola bicicleta.

Caminaron por muchas calles cerca del mercado principal.

Pronto pasaron junto a un grupo de personas que miraban lo que vendía un vendedor ambulante. Este señor estaba parado cerca de una pared y tenía una mesita cubierta con un largo terciopelo negro.

190

Laura vio que sobre el terciopelo negro había muchos prendedores. Todos los prendedores eran nombres. Y estaban hechos con alambre dorado muy delgadito. Los nombres se veían muy bonitos y elegantes, como cuando la maestra los escribía en sus cuadernos de tareas, en la escuela. Laura vio que todos los nombres eran de mujer. Vio que uno de los prendedores decía "Laura" y tenía un brillantito que colgaba de la segunda "a" de su nombre.

A Laura la fascinó ver cómo el vendedor hacía las letras. Con unas pinzas, doblaba un lado, luego otro. Hacía una ruedita perfecta. Como por magia, salía un nombre completo. ¡Qué fácil era hacer eso!

Entonces, se le ocurrió preguntarle al señor si hacía bicicletas. Él se rió y dijo que no, que no hacía bicicletas y que nunca había pensado hacerlas. Él sólo hacía prendedores con nombres de mujer.

Después de un rato, su papá le dijo a Laura que se hacía tarde, y se despidieron del señor. Empezaron a caminar para su casa.

Poco después, pasaron frente a una tienda que vendía un poco de todo. Laura vio un rollo de alambre dorado como el que tenía el señor.

"Se la haré yo misma" pensó Laura.

Después de mucho rogarle a su papá, entraron a la tienda y compraron el rollo de alambre y unas pinzas chicas. Cuando Laura le dijo que ella iba a hacer una bicicleta de alambre para Andrés, su papá sólo sonrió.

Cuando llegaron a casa, Laura corrió a su cuarto y cerró la puerta. Hizo un dibujo de una bicicleta, y empezó a copiar su dibujo doblando el delgado alambre dorado. No resultó fácil cortar el alambre con sus manos pequeñas. Tenía que apretar las pinzas con las dos manos. Y cada vez que doblaba el alambre, parecía que le quedaba más feo. ¡Ni las ruedas le habían quedado redondas!

Laura fue a pedirle ayuda a su hermano mayor. No le gustaba tener que pedirle ayuda porque su hermano siempre decía que hacía todo mejor que ella. ¡Pero se trataba de una emergencia!

194

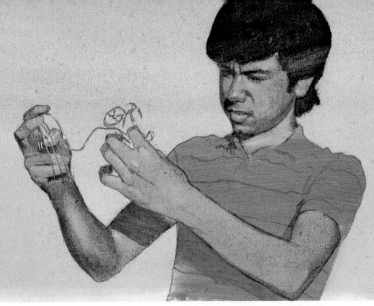

Le tomó mucho tiempo a Laura convencer a su hermano de que la ayudara a hacer otra bicicleta. ¡Y todo para nada! ¡Por primera vez, su hermano mayor no pudo hacer algo mejor que ella! Después de mucho trabajo, la bicicleta le había quedado más fea que la de ella. En realidad, Laura se sintió aliviada porque por una vez su hermano no había logrado hacer algo mejor.

Entonces, Laura fue a ver a su papá. Le enseñó lo que había hecho y su papá sonrió. Después, le enseñó lo que había hecho su hermano. Su papá se rió mucho. Su querido hermano "puedelotodo" no había podido hacerlo mejor esta vez. Pero, ¿cómo podría Laura solucionar su problema?

Ya que tenía que encontrar una bicicleta para Andrés, Laura le pidió a su papá que la llevara otra vez a ver al señor de los prendedores. Estaba segura de que él la ayudaría de alguna manera.

Laura pensó ofrecerle al señor cualquier cosa: su cochinito de barro lleno de dinero... su muñeca favorita... lo que fuera. Se acordó de que su abuelita siempre decía "querer es poder". ¡El señor tenía que hacerle la bicicleta!

Al próximo día, llegaron a la calle donde habían visto al señor. Pero sobre la banqueta no había nadie. ¡Qué horror! ¡Laura no había pensado en eso! Tal vez, iba por otras calles. Por eso los llaman vendedores ambulantes. No trabajan en un lugar fijo.

El papá preguntó por todos lados. Nadie lo había visto ese día. Ahora parecía que Laura no podría cumplir su promesa. Su abuelita siempre decía que era muy malo no cumplir una promesa. Ella quería ser como su abuelita.

"Cumpliré mi promesa como sea" pensó.

Ya iban de regreso hacia la casa cuando ¡lo vieron! ¡Ahí estaba, cerca de la otra esquina! Estaba con su mesita cubierta con el terciopelo negro y todos los prendedores sobre el terciopelo.

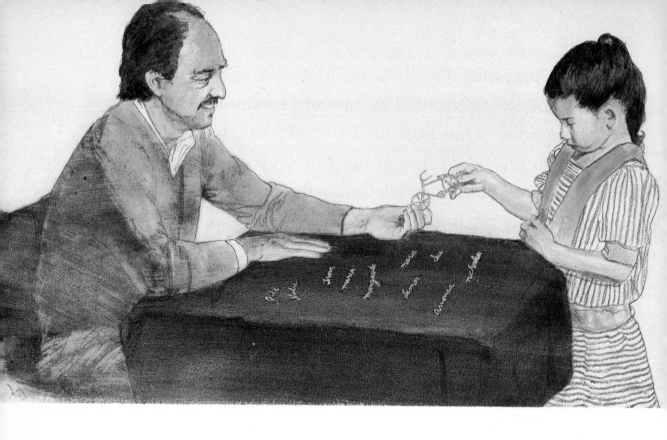

Laura tiró de la mano de su papá. Casi volaron hasta donde estaba el señor de los prendedores.

Al llegar junto a él, Laura lo saludó y le preguntó si se acordaba de ella. Él contestó que sí, que ella era la niña de la bicicletita. Laura le enseñó la bicicleta que había tratado de hacer. También le enseñó la cosa tan fea que su hermano había hecho. El señor se rió. Pero también vio la cara triste de Laura. Le dijo que no le gustaba que los niños estuvieran tristes.

El vendedor metió la mano debajo del lindo terciopelo negro y sacó algo pequeño. Le pidió a Laura que le diera la mano y cerrara los ojos. Con mucho cuidado, lo puso sobre la palma de Laura. Después, le dijo que adivinara lo que tenía en la mano. Ella pensó que era un prendedor con el nombre "Laura" y hasta se imaginó que sentía el brillantito de la última letra.

El señor de los prendedores de alambre le dijo que podía abrir los ojos. ¡Laura no lo podía creer! ¡Ahí, en la palma de la mano, estaba la bicicleta más linda y más pequeña del mundo! Era una bicicleta de alambre dorado.

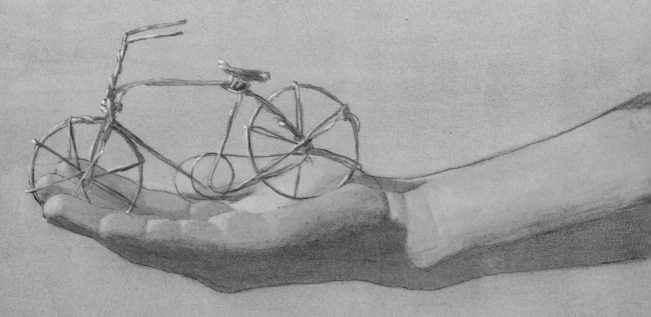

El señor le explicó que no había podido olvidar lo que Laura le había pedido. Cuando llegó a su casa, hizo una bicicleta muy chiquitita. La guardó y pensó que si algún día veía a la niña, se la regalaría. Gracias a ella, había hecho algo diferente de los prendedores que siempre vendía.

Cuando llegó su cumpleaños, Andrés se quedó con la boca abierta al abrir la cajita con el regalo de Laura. ¡Qué linda bicicleta! Pero, ¿cómo podría andar por todo el barrio en esa "Cletita" tan pequeña? Andrés pensó un poco y al rato se puso a reír. Ahora, no sólo podía andar por el barrio; también podía soñar que andaba en su bicicletita por cualquier parte del mundo. ¡Las travesuras de su prima Laura!

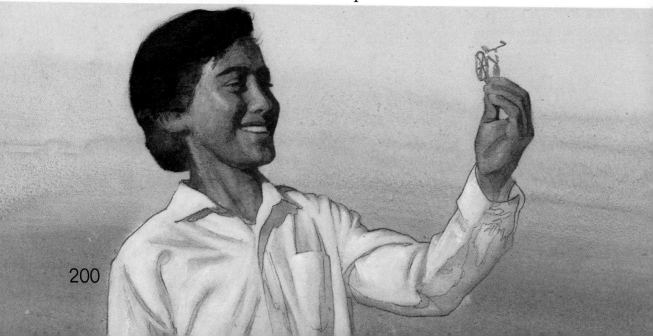

Preguntas

1. ¿Qué quería darle Laura a su primo para su cumpleaños?
2. ¿Qué creía Andrés que iba a recibir?
3. ¿Dónde consiguió Laura el regalo para Andrés?
4. ¿Crees que el vendedor de los prendedores hará otras bicicletas? ¿Por qué?

Aplicación de destrezas de lectura
Idea principal

Lee el párrafo. Escoge la idea principal.
Escríbela en tu papel.

Laura trató de hacer una bicicleta chiquitita.
Cortó el alambre delgado y lo dobló
cuidadosamente. Pero, cada vez que doblaba el
alambre, éste parecía más feo.

a. Laura trató de hacer una bicicleta chiquitita.
b. Cortó el alambre delgado y lo dobló
   cuidadosamente.
c. Cada vez que doblaba el alambre, éste parecía
   más feo.

El lobo  y los tres amigos

Escrito e ilustrado por una clase bilingüe de la escuela Calaveras en Hollister, California

Hay muchos cuentos de animales. El lobo y el conejo aparecen muchas veces en ellos. El lobo siempre se quiere comer al conejo. Y el conejo siempre se escapa. Vamos a ver si el conejo se escapa esta vez.

María Ocampo

Había una vez un conejo juguetón que se
llamaba Plumita. Plumita tenía dos amigos,
Rosita y Luis Alfredo. Rosita, la mariposa,
era muy simpática y elegante. El pajarito
Luis Alfredo era muy presumido. Los tres
amigos vivían juntos en el bosque. Un día,
los tres amigos estaban jugando. No vieron
al lobo que estaba escondido detrás de
un árbol.

Alejandra Sánchez

De repente, el lobo salió y asustó a los tres amigos. Como el conejo era muy juguetón, quería jugar con el lobo. No sabía que era muy bravo. Luis Alfredo le dijo:

—¡Es muy peligroso!

La mariposa Rosita dijo:

—¡No, no! ¡No te acerques a él!

Plumita se acercó y el lobo empezó a
corretearlo. Pero Plumita se cayó y el lobo lo
pescó. El lobo lo agarró de las orejas y se lo
llevó a su cueva. Plumita gritó:

—¡Ayúdenme, ayúdenme!

María García

Luis Alfredo y Rosita hicieron un plan
para salvar a Plumita.

Decidieron ir a la cueva por la noche
porque sabían muy bien que el lobo estaría
durmiendo. Rosita dijo:

—Vamos a pintar una piedra como
Plumita y dejarla en la entrada de la cueva.

Jesús Rivera

Luis Alfredo y Rosita pintaron una piedra y la pusieron cerca del lobo. Después, sacaron a Plumita de la cueva. El lobo despertó y trató de morder la piedra. ¡Pero se quebró todos los dientes y se quedó sin ellos! Y desde entonces, los tres amigos nunca tuvieron más problemas con el lobo.

Preguntas

1. ¿Quiénes eran los amigos de Plumita?
2. ¿Cómo salvaron los dos amigos a Plumita?
3. ¿Por qué al final los tres amigos nunca más tuvieron problemas con el lobo?
4. ¿Cómo hubieras tratado tú de salvar a Plumita?

Aplicación de destrezas de lectura
Sacar conclusiones

Plumita necesita más ayuda. Lee cada cuentecito y decide qué va a pasar después. Escribe la respuesta en tu papel.

1. Plumita sube a una montaña. Cuando llega a la cima, no puede bajar. No sabe qué hacer. Su amiga Águila pasa y lo saluda.

2. Plumita sale de paseo. Camina muy lejos de su casa. Ve que ya es muy tarde. Su mamá estará preocupada. En eso, ve a su amigo Caballo.

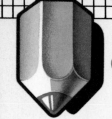

COMPOSICIÓN

Un cuento

ANTES DE ESCRIBIR

En "El lobo y los tres amigos" leíste un cuento escrito por niños de tu edad. Tú también puedes escribir un cuento. Puedes inventar nuevas cosas que le pasan al conejo, o a cualquier otro personaje. Inventa ahora tu propio cuento.

Antes de escribir, piensa en lo que vas a decir. Piensa en estas preguntas. Las respuestas te ayudarán a escribir tu cuento.

1. ¿Quiénes son los personajes del cuento?
2. ¿Cómo son los personajes?
3. ¿Dónde ocurre el cuento?
4. ¿Qué le pasa a los personajes?
5. ¿Cómo termina el cuento?

ESCRIBIR

1. Piensa en lo que vas a escribir.
2. La primera oración debe atraer al lector. Usa ésta:

   Había una vez un conejito al que le gustaba mucho comer lechuga.
3. Escribe oraciones sobre los problemas que tiene el conejo y cómo los resuelve.
4. Si quieres, usa las Riquezas de Vocabulario en tu cuento.
5. Ponle un título al cuento.

Riquezas de Vocabulario	
morder	huerta
jugosa	travieso

REVISAR

Lee tu cuento. Piensa en estas cosas:

1. ¿Dicen las oraciones qué le pasa al conejito?
2. Si alguien lee tu cuento, ¿podrá decir algo sobre cada situación?
3. ¿Tiene cada oración los signos de puntuación correctos?
4. Ahora, vuelve a escribir tu cuento.

Jaime y la concha de caracol

Nicholasa Mohr

Algunos cuentos tratan principalmente de sucesos. En otros cuentos, los sentimientos de algún personaje son lo más importante. En este cuento, nos enteramos de cómo se siente Jaime en su nuevo hogar.

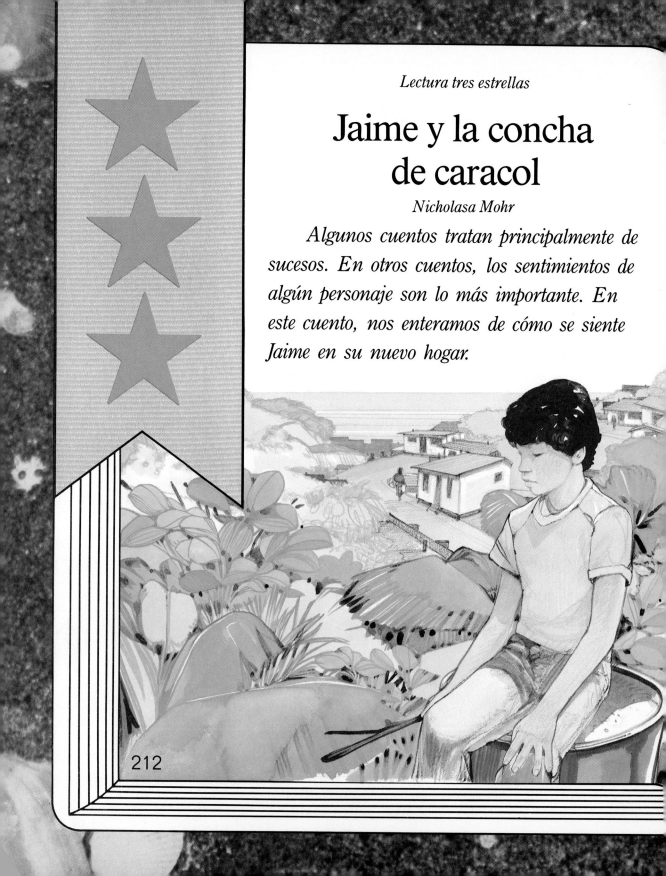

212

Antes de cumplir ocho años Jaime Esteban Rivera, se mudó a la ciudad de Nueva York. Venía de su pequeño pueblo, allá en lo alto de las lomas de su pequeño país, una isla en el mar Caribe. Jaime no se puso contento cuando oyó que su familia y él iban a dejar su hogar. No estaba contento ahora que vivía en un apartamento en un edificio grande en la ciudad de Nueva York.

Cuando Jaime iba a dejar su pueblito, su tío Osvaldo le dio una concha de caracol rosada.

El tío Osvaldo sabía que Jaime estaba triste. Por eso le había dado la concha de caracol y le había dicho:

—Jaime, cada vez que extrañes tu pueblo, ponte esta concha de caracol al oído. Al principio, oirás el sonido del mar. Entonces, cierra los ojos y podrás recordar y ver tu pueblo otra vez. Así no te sentirás tan solo.

—¿Es ésta una concha mágica? —Jaime había preguntado.

—Es una concha especial que sólo funciona cuando la necesitas. Acuérdate, tienes que pensar mucho y querer acordarte, de otra forma no resultará.

La ciudad de Nueva York era un lugar extraño. Aquí no había casas pequeñas. Todo el mundo vivía en apartamentos. La gente se encerraba y le pasaba el cerrojo a la puerta. En el pueblo la gente dejaba la puerta abierta de par en par la mayor parte del tiempo. Todos entraban y salían cuando les daba la gana.

Había muchas cosas que confundían a Jaime. La gente aquí hablaba inglés. Él no podía entender lo que decían. Todos hablaban muy rápido. Las palabras le sonaban así:

GARAHR. .AR. .TAT. .AR. .ZEE. .GOOOD. . AR. .HUHM. .y así lo demás.

Desde su llegada a la ciudad de Nueva York hasta el momento, Jaime sólo había estado con otros niños una vez. Eso fue cuando fue a visitar a los amigos de sus padres al edificio grande. Había jugado con dos niños como de su misma edad y con una niña mayor. No hablaban español, pero entendían lo que decía Jaime y le contestaban en inglés. Le cayeron muy bien y le hubiera gustado mucho verlos otra vez.

Jaime se sentía muy solo. Metió la mano debajo de su cama y sacó la cajita en que guardaba su concha de caracol. Con cuidado, la sacó y se la puso al oído. Oyó el rugido del mar. Entonces, Jaime cerró los ojos y vio su pueblo. Claramente aparecieron todas las cabañas de madera que estaban en los campos. Vio la tienda donde su madre hacía las compras. Vendían comida, telas y casi todo lo que uno necesitara.

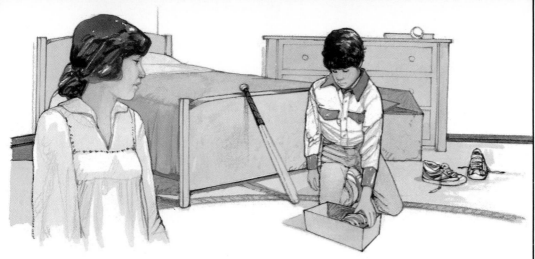

—Jaime —la madre de Jaime entró al cuarto—, ¿qué estás haciendo, hijo?

—Nada —contestó Jaime y metió la concha de caracol otra vez en la caja.

—Me parece que estás triste, Jaime —le dijo su mamá.

—Ojalá tuviera amigos con quienes jugar —dijo.

—Tu cumpleaños es dentro de dos semanas —le dijo su madre—. Voy a invitar a los niños con quienes jugaste el otro día. A lo mejor para entonces habrás hecho más amigos entre los niños del barrio. Así podrás invitarlos a la fiesta también.

217

—Mami —le dijo Jaime—, los niños de aquí hablan inglés.

—Tú también aprenderás a hablar inglés. Pero casi todos estos niños entienden el español. Se van a llevar muy bien todos —le dijo su mamá.

—Espero que sí —Jaime encogió los hombros.

—Bueno, y ¿qué quieres para tu cumpleaños, Jaime?

—No sé —respondió Jaime.

Lo que quería de verdad era volver a su casa, a su pueblo y a sus amigos. Pero sabía que no podía pedirle eso a su mamá.

—¿No? —preguntó su madre sacudiendo la cabeza—. Bueno, ya se nos ocurrirá algo que te guste.

Pasaron muchos días y Jaime se quedó en casa casi todo el tiempo. Su concha de caracol rosada era su único consuelo.

Ahora, estaba empezando a hacer tanto frío que tenía que ponerse mucha ropa: chalecos, un abrigo, una bufanda, guantes y un gorro. Jaime nunca se había puesto tantas cosas a la vez. Había veces que le parecía que casi no podía moverse.

Todos los días veía a unos niños que jugaban frente a su edificio. Un día uno de ellos saludó a Jaime con la mano y le dijo algo. Jaime comprendió lo que el niño había dicho. Sonaba como: ¿HI GAWA YAH?

Pero Jaime sabía que era realmente, "Hi, how are you?" Jaime le respondió:

—I'm fine.

El padre de Jaime le había enseñado a decir
eso. Entonces, él les preguntó:

—Hi, how are you?

—Fine —contestaron.

Entonces, dijeron algo más. Jaime no lo
comprendió, pero se sonrió y dijo que sí con la
cabeza. Ellos se sonrieron y le hicieron un saludo
con la mano.

Se sentía contento de que los niños le
hubieran hablado.

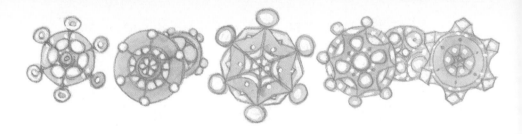

Una tarde, unos pocos días antes de su cumpleaños, Jaime vio algo por la ventana que le pareció muy extraño. El aire estaba lleno de copos de nieve. ¡Caían desde arriba haciendo remolinos ante sus ojos! Pero tan pronto como los copos de nieve tocaban el suelo desaparecían. ¿Adónde se iban? ¿Qué les pasaba?

Jaime salió corriendo a buscar a su madre.

—¡Mami! ¡Mira! ¡Nieve! Por favor, mami, ¿me dejas salir a jugar? ¡Por favor!

—Sí. Pero te tendrás que abrigar bien —replicó su madre—. ¡Vamos juntos!

Afuera la nieve seguía cayendo. Jaime notó que había parches blancos encima de los automóviles, sobre los escalones de la entrada y en las aceras. Nunca había visto nada como esto en su vida.

Algunos niños se acercaron a Jaime y lo invitaron a jugar. Jaime miró a su madre. Ella dijo que sí con la cabeza y se sonrió. Él ya comprendía mucho de lo que los niños le decían.

Los niños jugaron enfrente del edificio de Jaime, resbalándose, deslizándose en la nieve que caía. Se perseguían unos a otros, se caían y se revolcaban. Algunos hacían bolas de nieve y se las tiraban a otros niños, riéndose. Otros hacían un muñeco de nieve, aunque la nieve estaba demasiado blanda para moldear figuras grandes.

Al rato Jaime oyó a su madre llamar:
—Jaime, es hora de subir.

Jaime se despidió de sus nuevos amigos.

—¡Hasta mañana! —exclamaron todos.

Esa noche Jaime estaba tan contento que se le olvidó sacar su concha de caracol rosada. Lo único en que podía pensar era en mañana, en jugar en la nieve y en los nuevos amigos que había hecho. Entonces, se acordó de su concha de caracol rosada. Metió la mano debajo de la cama y sacó la caja. Se puso la concha al oído, entonces se puso a esperar. Tardó un rato, pero finalmente oyó el rugido del mar. Entonces, cerró los ojos, pero no vio nada. Los abrió otra vez y se acordó de las palabras de tío Osvaldo.

—Recuerda, tienes que pensar muy fuerte y querer recordar, de otra forma no resulta.

—Sí, quiero . . . sí quiero recordar —murmuró Jaime.

Cerró los ojos y pensó bien fuerte. Al rato vio la ladera de la montaña y su pueblo una vez más. Sus amigos aparecieron ante su vista. Sí, todavía podía verlo todo. Jaime suspiró contento.

Sabía que, realmente, ya no necesitaba la concha de caracol. Nunca se olvidaría de su pueblo, ni de su tío Osvaldo, ni de sus amigos.

Jaime cerró los ojos. Pensó en lo que haría al día siguiente. Quería jugar en la nieve con sus amigos. Le gustaba estar aquí y sabía que él era ahora parte de esta nueva vida.

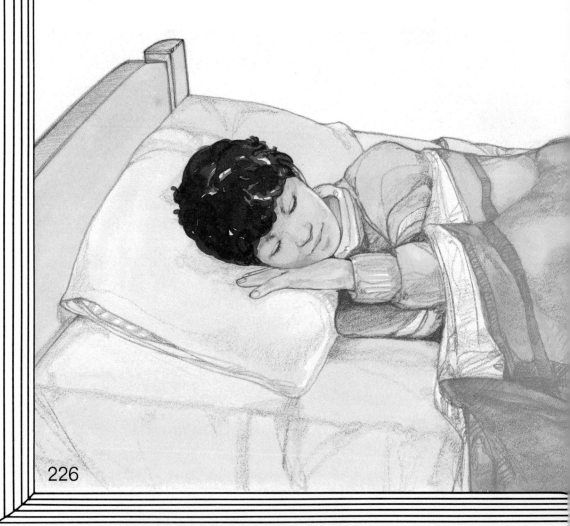

Nicholasa Mohr

Cuando Nicholasa Mohr fue a la escuela, no fue para aprender a escribir cuentos. Fue para aprender a dibujar. Por eso, cuando escribió su primer libro, ella también hizo los dibujos. Más tarde, escribía sólo las palabras. Los dibujos los hacía otra persona.

A Nicholasa le gusta escribir sobre la gente que vive en los barrios puertorriqueños de la ciudad de Nueva York. Ella también vivió allí cuando era pequeña. Sus padres son de Puerto Rico.

Los personajes de sus cuentos son más importantes para Nicholasa Mohr que la historia misma. Sus personajes se ponen contentos y tristes como nos pasa a todos. Por eso, lo que ella escribe le gusta tanto a todo el mundo.

227

Pensemos en los relatos de
Había una vez

Los relatos de esta unidad cuentan diferentes historias de muy diferentes maneras. Conocimos a unos narradores y aprendimos qué hacen. Un indio nos contó el cuento de la Abuela Araña. Hubo un cuento que parecía no tener fin. También, leímos un cuento escrito por niños como tú.

1. ¿Por qué cuentan los indios cuentos como el de la Abuela Araña?

2. En "El mundo del abuelo", el abuelo es ciego, pero el sentido del oído lo ayuda. ¿Cómo podría él reconocer a los animales que aparecen en "La cama"?

3. ¿En qué se parecen los personajes de los cuentos "La araña en el cielo", "Buena suerte, Ed" y "El lobo y los tres amigos"?

4. Escribe una oración que describa al personaje principal del cuento que te gustó más.

Este glosario te puede ayudar a entender el significado de las palabras del libro que no conozcas.

Las palabras están en orden alfabético. Las palabras guía que hay en la parte de arriba de cada página son la primera y la última palabra de esa página. Cada palabra está dividida en sílabas.

A

a·bier·tas Lo opuesto de cerradas. *Las tiendas están abiertas los sábados también.*

(se) a·cos·tó Se tendió para dormir o descansar. *Era tarde y el niño se acostó.*

ac·to Cada una de las partes principales de una obra de teatro. *En el primer acto, salen el rey y el caballero.*

a·de·lan·te Más allá; en frente de. *No podemos seguir adelante porque el camino está cerrado.*

a·den·tro En el interior. *Ella se metió adentro de la cueva cuando empezó a llover.*

a·fli·gi·da Triste, preocupada. *Elisa está muy afligida porque no tiene disfraz para la fiesta.*

a·ga·rrar Sujetar algo con la mano; tomar. *Hay que agarrar la cacerola con las dos manos.*

a·gra·da Gusta; da placer. *Le agrada la música de guitarra.*

a·lam·bre Hilo de metal. *Él sabe hacer canastas de alambre.*

a·lar·gó Extendió; hizo más largo. *La paloma alargó sus alas y voló.*

(se) a·le·ja·ba Se iba lejos. *El barquito se alejaba de la tierra.*

al·go Palabra que se usa para hablar de una cosa que no se quiere o no se puede nombrar. *Tengo algo en el ojo.*

al·guien Palabra que se usa para hablar de una persona que no se conoce. *Alguien me tomó una foto pero no sé quién fue.*

a·li·via·da Aligerada; que está mejor. *María tenía mucho calor pero se sintió aliviada cuando se metió en el agua.*

Al·ta·mi·ra Lugar en España donde se encuentran unas cuevas que tienen dibujos muy antiguos. *Quiero ir a Altamira para ver las cuevas.*

an·ti·gua Vieja. *Esa campana es muy antigua.*

a·pa·gar Extinguir o hacer desaparecer el fuego o la luz. *Tienes que apagar la luz cuando te vas a dormir.*

a·plau·den Dan palmadas para mostrar entusiasmo. *Todos aplauden cuando los niños salen a cantar.*

a·prie·ta Hace fuerza contra una cosa; oprime. *El niño aprieta el botón de la computadora.*

a·pues·to Me juego algo a que tengo razón. *Apuesto algo a que Gregorio va a ganar la carrera de bicicletas.*

(se) a·rre·glan Se visten, lavan, peinan o ponen guapos. *Primero, las muchachas se arreglan y después, salen a bailar.*

ar·te Actividad útil o que crea cosas bellas. *El bailar bien es un arte.*

ar·tis·ta Persona que se dedica a una forma de arte. *Alexander Calder era un artista.*

a tra·vés de Por medio de. *A través de los libros aprendemos mucho.*

au·lla·ré Haré la voz triste de un perro o de un lobo. *Esta noche aullaré como un lobo para asustar a mis amigos.*

au·tor Persona que escribe un cuento, novela, poema u obra de teatro. *Quiero conocer al autor de ese libro.*

a·ven·tu·ra Suceso extraño o de resultado incierto. *Las aventuras del dragón son muy divertidas.*

a·yer Día anterior a hoy. *Ayer fui al parque y hoy voy al zoológico.*

a·zul Del color del cielo sin nubes. *El mar a veces se ve azul.*

B

bai·la Mueve el cuerpo al compás de la música. *Paquita baila en la fiesta.*

bai·la·rín Hombre que baila. *El bailarín baila una danza de Cuba.*

bai·le Serie de movimientos que hacen los que bailan; fiesta donde la gente baila. *Es un baile muy lindo y alegre de México.*

ba·lle·na Animal muy grande que vive en el mar. *La ballena nada bajo el agua.*

ban·que·ta Parte de la calle por la que caminan las personas; acera. *Hay que caminar por la banqueta, no por la calle.*

bi·blio·te·ca Lugar adonde la gente va a leer y a pedir prestados libros. *Todos los sábados voy a la biblioteca a buscar un libro para leer.*

bi·lin·güe Que habla dos idiomas. *Pablo es de Cuba y es bilingüe.*

bi·son·tes Animales salvajes parecidos a los toros. *Los bisontes viven en grupos grandes.*

blan·ca Del color de la leche. *Esa nube es blanca.*

232

bo·la Objeto redondo; juguete redondo que se tira o que se hace rodar. *El sol parece una bola dorada.*

bol·sa Saco que sirve para llevar o guardar cosas. *Pon la fruta en la bolsa.*

bo·tón Objeto pequeño como el que se aprieta para hacer funcionar una máquina, o el que se usa para abrocharse la ropa. *Primero, aprieta el botón rojo de la computadora.*

bo·xe·a·dor Persona que se dedica al deporte de luchar a puñetazos. *Luis es el mejor boxeador de Nueva York.*

Brai·lle Escritura hecha con puntitos elevados sobre el papel que usan los ciegos para leer. *El Braille se lee con los dedos.*

brin·car Dar saltos; saltar. *El sapo sabe brincar muy bien.*

bu·rro Animal peludo parecido a un caballo pequeño con orejas largas. *Se puede oír la voz del burro desde muy lejos.*

C

ca·lor Sensación que dan el sol y el fuego. *Me gusta nadar cuando hace calor.*

can·ción Poesía que se canta con música. *Yolanda toca la guitarra, y Gregorio canta una canción.*

can·ta·ré Haré con la voz sonidos musicales. *Mañana cantaré una canción alegre en la fiesta.*

can·tor Persona que canta. *Él es un cantor famoso de España.*

car·ca·ja·das Risas ruidosas. *Mi papá se rió a carcajadas.*

car·tu·li·na Cartón delgado que se usa para carteles y tarjetas. *Pablo hizo unos carteles de cartulina.*

cas·ti·llo Edificio de piedra con murallas, fosos, torres, etc. *El rey vivía en un castillo muy grande.*

(se) ca·ye·ron Se movieron de arriba abajo. *Los libros se cayeron de la mesa.*

cen·tro Parte de una cosa que queda en medio de ella; parte comercial de una ciudad o de un pueblo. *Dibujé una flor con el centro amarillo.*

cie·go Que no puede ver. *Mi abuelo es ciego pero puede hacer muchas cosas.*

cie·rra Tapa; pone la cosa que cubre o impide el paso a otra. *Nicolás hace la maleta y después la cierra.*

cir·co Lugar adonde la gente va para ver payasos, animales entrenados, etc. *Una vez vi un elefante en el circo.*

cla·ra·men·te De forma precisa o evidente. *Con binoculares se puede ver claramente lo que está muy lejos.*

cla·ses Grupos de estudiantes; enseñanzas que da un maestro. *Aprendo mucho en las clases de la escuela.*

col·gar Suspender una cosa en el aire sin que llegue al suelo. *Pablo va a colgar la planta.*

co·llar Adorno que se pone alrededor del cuello. *Eva se pone el collar para ir a la fiesta.*

com·ple·ta Acabada; con todas sus partes. *La pintura ya está completa.*

com·pu·ta·do·ra Máquina que hace todo tipo de operaciones con gran rapidez. *La computadora ayuda a mi hermana en su trabajo.*

co·ne·jo Animal pequeño y peludo con orejas muy largas y cola muy corta. *Al conejo le gusta vivir en túneles bajo tierra.*

co·no Cuerpo de base circular acabado en punta. *El sombrero del payaso es un cono.*

con·tes·ta·ron Respondieron a las preguntas. *Los niños contestaron las preguntas en la clase.*

co·rre·te·ar Correr en varias direcciones dentro de un espacio limitado. *Después de las clases, nos ponemos a corretear en el jardín.*

cor·ti·na Tela que cubre las ventanas. *Mamá abre la cortina de la ventana para ver el sol.*

co·se·cha Temporada en que se recogen los frutos de la tierra; conjunto de los frutos que han sido recogidos. *Este año la cosecha de frijoles fue muy buena.*

cria·tu·ra Cosa creada; niño o animal recién nacido. *Mi perrito es una criatura muy linda.*

cro·ar Cantar la rana. *Por la noche la rana se pone a croar.*

cru·jir Hacer un ruido como el de la madera seca al romperse. *A veces se oye crujir la casa vieja.*

cua·der·no Libreta en que se escribe. *Escribo lo que aprendo en la escuela en un cuaderno.*

cu·bier·to Tapado por una cosa. *El campo está cubierto de nieve.*

cuen·tis·ta Persona que cuenta cuentos. *En la escuela, un cuentista nos contó un lindo cuento.*

cuer·vo Pájaro negro más grande que la paloma. *Hay un cuervo en el árbol.*

cue·vas Lugares huecos en la tierra o en la roca donde a veces viven animales. *Los osos viven en cuevas.*

cum·ple·a·ños Día en que se celebra el nacimiento de una persona. *Mañana es la fiesta de cumpleaños de Leonor.*

Ch

cha·cal Animal parecido al zorro y al lobo que vive en África y Asia. *El chacal corre muy rápido.*

cha·yo·te Fruta verde o blanca con forma de pera. *Me gusta comer chayote con papas.*

chi·llar Hacer un sonido agudo con la voz. *Mi hermanita va a chillar cuando la lleven a dormir.*

chi·me·ne·a Hueco en una pared donde se hace fuego para calentarse. *Nos sentamos cerca de la chimenea para calentarnos.*

chis·te Frase o pequeña historia graciosa. *Todos se rieron cuando Clara contó el chiste del chivo y el chayote.*

D

Dan·za de los Vie·ji·tos Baile típico de México. *Son muchachos los que bailan la Danza de los Viejitos.*

del·ga·da Flaca; no gruesa. *El elefante tiene una cola muy delgada.*

de·sa·yu·nar Comer algo por la mañana. *Inés va a desayunar con su tía.*

des·can·sar Dejar de trabajar o de hacer algo; estar sin trabajar. *Hay que descansar un poco después del trabajo.*

des·pe·dir·se Decirle adiós a alguien. *Cuando doña Elisa se fue a Nueva York, vino a despedirse de mamá.*

di·bu·jar Hacer una figura con un lápiz o una pluma. *Voy a dibujar unos barquitos en el mar.*

dien·tes Piezas duras en la boca que sirven para masticar. *Me lavo los dientes después de comer.*

di·ver·ti·do Que hace reír o da alegría. *Es divertido jugar a los payasos.*

do·blar Torcer. *No se puede doblar un bate de madera pero se puede doblar un papel.*

do·ra·do Del color del oro. *El sol dorado sube por el cielo.*

237

E

e·dad Tiempo que ha vivido una persona o un animal. *Yolanda tiene ocho años de edad y Adela tiene tres.*

e·le·gan·te Se dice de la persona que viste bien o de una cosa bonita. *El bailarín se pone ropa muy elegante para bailar el Jarabe Tapatío.*

e·mer·gen·cia Accidente; situación en la que se debe actuar con rapidez. *Podemos ayudar si hay una emergencia.*

en·fer·mo Que está mal de salud. *Timoteo está enfermo y no puede ir a la escuela.*

en·sa·yo Practico algo antes de hacerlo ante la gente. *Voy a bailar en la fiesta y por eso, ensayo todas las noches.*

en·trar Ir o pasar de fuera adentro. *Llueve mucho y Nicolás quiere entrar a la casa.*

en·tre En medio de dos o más cosas. *El dos está entre el uno y el tres.*

en·tre·te·ner Divertir. *Los payasos en el circo te van a entretener mucho.*

(se) es·ca·pó Huyó; se libró de un peligro. *El niño se escapó del ogro.*

es·ce·na·rio Parte del teatro en que tiene lugar el espectáculo. *En el escenario vimos algunos árboles y la casa de un pescador.*

es·con·der Ocultar, apartar de la vista una cosa. *Voy a esconder las monedas en un cofre.*

es·cri·bir Representar las palabras o las ideas con letras trazadas en una superficie. *Voy a escribir un cuento sobre dragones.*

es·cu·cho Presto atención a lo que oigo. *Escucho la canción de los grillos.*

Es·pa·ña País de Europa donde se habla español. *En España hay muchos pueblos lindos.*

es·pe·ra Se queda en un lugar hasta que ocurra algo o llegue alguien. *La niña espera en casa hasta que vuelva su mamá.*

es·qui·nas Lugares donde dos superficies se unen. *Hay estrellas en las esquinas del papel.*

es·tam·bre Hilo de lana. *En México, hacen dibujos muy alegres de estambre.*

es·te Parte del horizonte por donde sale el sol. *El sol sale por el este y se pone en el oeste.*

ex·pli·có Dio a conocer a otro lo que sabe o piensa. *Mi papá me explicó cómo se hacen las perlas.*

ex·pre·sar Decir; usar palabras para dar a entender algo. *Voy a expresar mi alegría en una canción.*

ex·pre·sión Representación de los sentimientos con gestos, palabras, etc. *La expresión de su cara muestra alegría.*

ex·tra·ñar Echar de menos a una persona o cosa. *Voy a extrañar a mi perrito cuando visite a mis tíos.*

ex·tra·or·di·na·rio Fuera de lo común; muy especial. *El armadillo es un animal extraordinario.*

F

fan·ta·sí·a Imaginación. *Los unicornios sólo viven en el mundo de la fantasía.*

fas·ci·nó Gustó mucho; atrajo. *Me fascinó ver el Ballet Folklórico.*

fa·vo·ri·ta Que gusta más que otras cosas; preferida. *La papaya es mi fruta favorita.*

flan Postre de yemas de huevo, leche y azúcar, bañado en azúcar tostado. *Comimos flan en la fiesta de Paquita.*

fras·cos Vasos de cuello corto que sirven para guardar cosas. *Hay jugo de tomate y de cereza en los frascos.*

fra·za·da 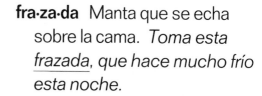 Manta que se echa sobre la cama. *Toma esta frazada, que hace mucho frío esta noche.*

fres·co No muy frío. *Vamos a salir al aire fresco.*

frí·a Que tiene una temperatura muy baja. *El agua está muy fría.*

fue·go Llamas, calor y luz producidos por algo que se quema. *Mi tía cocinó la sopa sobre el fuego.*

G

gri·lli·to Pequeño insecto parecido al saltamontes. *En el campo, de noche, se oye cantar al grillito.*

gua·ca·mo·le Ensalada de aguacate. *Me gusta mucho comer guacamole.*

guar·dó Cuidó o protegió algo. *Xavier guardó la moneda en el cofre.*

H

hie·lo Agua convertida en cuerpo sólido. *La limonada está más fría con hielo.*

hier·ba Zacate, pasto. *Amanda recogió la hierba con el rastrillo.*

hi·lo Fibra larga y delgada que se usa para coser y para otras cosas. *Para hacer un collar necesito un hilo y perlitas.*

ho·ci·co Parte de la cabeza de algunos animales en que están la boca y las narices. *Ese perrito tiene un hocico largo.*

hoy En este día. *Hoy es el cumpleaños de Reynaldo.*

hue·le Percibe los olores. *¡Huele a sopa de tomate!*

hue·lla Señal que deja un pie en la tierra. *Vi la huella de un coyote en la tierra.*

I

i·gual De la misma forma, cantidad, calidad, tamaño, peso, etc. *Esta flor es igual a la otra.*

i·lus·tra·ción Grabado, dibujo o fotografía que adorna un libro, una revista, etc. *En esa ilustración hay un dragón enorme.*

i·lus·tra·dor Persona que hace ilustraciones. *Creo que es bonito ser ilustrador de libros para niños.*

241

i·lus·trar Adornar algo escrito con dibujos, fotografías, etc. *Voy a ilustrar el cuento que escribí.*

i·ma·gi·na·ción Fantasía, ilusión. *Los dragones sólo viven en la imaginación.*

i·ma·gi·nar Formar imágenes en la mente. *Se tienen que imaginar que hay un ogro en el cuarto.*

im·por·tan·te Que interesa o tiene valor, influencia, etc. *Es importante comer bien.*

in·cli·nar Separar algo de la posición vertical u horizontal. *Tengo que inclinar el espejo para ver mis botas.*

in·dí·ge·nas Habitantes originales de un país. *Los indígenas nos pueden enseñar mucho sobre las plantas y los animales.*

in·vi·si·bles Que no se pueden ver. *No puedo ver las casas; son invisibles en la neblina.*

is·la Porción de tierra completamente rodeada de agua. *Hay una pequeña isla en la laguna.*

J

ja·ba·lí·es Cerdos salvajes. *Los jabalíes son peligrosos.*

Ja·ra·be Ta·pa·tí·o Danza famosa de México. *Aprendimos a bailar el Jarabe Tapatío en la escuela.*

ja·ra·na Instrumento musical que parece una guitarra pequeña. *Con maracas y una jarana se puede tocar música muy alegre.*

je·fe Persona que manda o dirige algo. *El jefe dice lo que se tiene que hacer.*

jun·tos Unidos, cercanos. *Gregorio y Timoteo siempre caminan juntos a la escuela.*

L

la·drar Hacer el perro su sonido. *Mi perro se pone a ladrar cuando ve a un gato.*

la·dro·nes Personas que roban. *Los ladrones se llevaron las joyas del museo.*

lá·piz Instrumento que se usa para escribir o dibujar. *Mi papá me dio un lápiz para hacer un dibujo.*

lás·ti·ma Tristeza; compasión. *¡Qué lástima me da verte enfermo!*

le·tras ma·nus·cri·tas Letras escritas a mano. *Escribió un buen cuento, pero sus letras manuscritas no se pueden leer.*

(me) le·van·to Me pongo de pie. *Cuando visito a mis amigos en el campo, siempre me levanto con ellos a las seis.*

lue·go Después. *Te llamo luego porque ahora me voy al mercado.*

LL

lla·ma·ré Diré el nombre de alguien; pediré la atención de alguien por cualquier medio. *Mañana llamaré a mi abuela por teléfono.*

M

ma·mey Fruta tropical de color café por fuera y roja por dentro. *En Estados Unidos no crece el mamey.*

man·chas Partes de una cosa que son de diferente color que el resto. *Los huevos en ese nido tienen manchas azules.*

man·gos Frutas tropicales de forma ovalada, amarillas por dentro y dulces. *Mi hermana come mangos todos los días.*

mar·char Caminar con cierto orden y compás. *Voy a marchar en el desfile de la escuela.*

más·ca·ras Caretas; figuras hechas de cartón u otro material con que las personas pueden taparse el rostro para no ser conocidas. *En la tienda se venden máscaras de animales.*

mau·llar Hacer el gato su sonido. *Misifú quería leche y se puso a maullar.*

me·lo·dí·a Cualidad de la música que agrada al oído. *La melodía de esa canción es muy alegre.*

men·sa·je Noticia que se manda de una persona a otra. *Había un mensaje en la botella que Xavier encontró.*

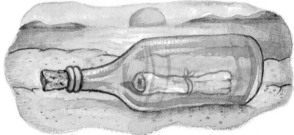

mer·ca·do Lugar donde se compran y venden cosas. *Los sábados vamos al mercado a comprar vegetales.*

mer·me·la·da Dulce hecho de frutas. *Por la mañana como pan con mermelada.*

mien·tras Durante el tiempo en que. *Mientras yo hago la limonada, Pepe hace un sándwich.*

244

mir·lo Ave pequeña negra con manchas rojas en la pechuga. *La canción del mirlo es muy bonita.*

mor·der Tomar y apretar algo con los dientes. *¡Cuidado! ¡El perro te va a morder!*

(se) mue·ven Se menean; se agitan; dejan un lugar y pasan a otro. *Los árboles se mueven con el viento.*

mu·jer Persona femenina adulta. *Mi mamá es una mujer.*

mu·ñe·ca Figura de niña o mujer con que juegan los niños. *Cuando me acuesto, llevo mi muñeca conmigo.*

mu·ral Pintura grande pintada sobre un muro. *En mi barrio hay un mural de los animales de África.*

mu·se·o Whit·ney Edificio en Nueva York donde se guardan y exponen objetos notables. *Se pueden ver muchas cosas bonitas en el museo Whitney.*

mú·si·cos Personas que tocan o escriben música. *Los músicos tocaban la guitarra, las maracas y el tambor.*

N

na·cio·nal De un país. *El águila es el pájaro nacional de Estados Unidos.*

na·die Ninguna persona. *No hay nadie en casa.*

ne·gro De color totalmente oscuro, como el carbón. *Adriana tiene un caballo que es negro como la noche.*

nue·ve Número que viene después del ocho y antes del diez. *Tengo nueve años.*

O

o·bra Producto del trabajo de una persona. *La pintura es una obra de arte.*

(se me) o·cu·rrió Tuve una idea. *Estaba aburrida y se me ocurrió leer un libro.*

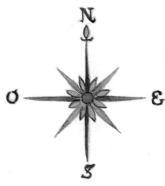

o·es·te Parte del horizonte por donde se pone el sol. *California está al oeste de Texas.*

oi·rá Percibirá los sonidos con el oído. *Esta noche Elena oirá el viento en los árboles.*

o·la Onda grande que se forma en la superficie de las aguas. *Cuando hay mucho viento, una ola puede ser peligrosa.*

(se me) ol·vi·da Dejo de tener algo en la memoria. *A mí se me olvida el nombre de esa canción.*

o·lli·ta Vasija pequeña con asas que se usa para cocinar. *Voy a hacer una sopa en esa ollita.*

os·cu·ri·dad Falta de luz. *No se ve nada en la oscuridad.*

os·cu·ro Que carece de luz o claridad. *El día está oscuro porque hay mucha neblina.*

P

pa·dre Hombre que tiene hijos. *Sarita quiere mucho a su padre.*

pa·ís Nación, región, provincia o territorio. *México es un país grande.*

pal·ma Parte de adentro de la mano. *Pepe tiene un insecto en la palma de la mano.*

pa·pa·ya Fruta tropical parecida al melón, amarilla y dulce. *La fruta que más me gusta es la papaya.*

pa·pier mâ·ché Material hecho de tiras de papel de periódico y engrudo. *Sami hizo una paloma de papier mâché.*

pa·red Lado de un cuarto; muro. *Puedes poner el cartel en la pared.*

(se) par·tí·a Se dividía una cosa en dos o más partes. *El témpano se partía en dos pedazos.*

pe·ces Animales cubiertos de escamas que viven en el agua y que nadan. *Hay muchos peces en el mar.*

pe·da·zo Parte de una cosa; trozo. *Eva dio un pedazo de su sándwich a su hermanito.*

per·fec·to Que es lo mejor posible; que no tiene defectos. *Es un día perfecto para salir.*

per·so·na·jes Personas o animales que aparecen en los cuentos u obras de teatro. *Hay tres personajes en el cuento que leo.*

pes·car Tomar o agarrar alguna cosa; sacar o tratar de sacar peces del agua. *Voy a pescar en la laguna.*

(en) pi·ca·da Bajando muy rápidamente. *El águila bajó en picada desde la nube hasta la laguna.*

pie·dra Pedazo de roca. *Hay una piedra grande en el camino.*

pin·güi·no Pájaro blanco y negro que vive en climas muy fríos y no puede volar. *A los pingüinos les gusta mucho nadar.*

pin·zas Instrumento que se usa para sujetar cosas pequeñas. *Tomé la mariposa con las pinzas.*

plan Intento, proyecto. *Tengo un plan para ganar un poco de dinero.*

pla·te·a·do Del color de la plata. *Este vaso es plateado.*

pla·to Pieza baja y redonda en la que se sirve la comida. *Pongo pollo y vegetales en el plato.*

plu·mas Cosas que cubren el cuerpo de las aves. *Sin plumas los pájaros no pueden volar.*

po·bre Necesitado; triste; que no tiene dinero. *Pobre armadillo, ¿no puedes encontrar tu casa?*

por su·pues·to Ciertamente; sin duda. *Hay un toro en ese campo. Por supuesto no vamos a caminar por allí.*

pos·tre Fruta o dulce que se come al final de la comida. *Mamá hizo un flan para el postre.*

pren·de Enciende. *Con ese botón se prende la radio.*

pren·de·do·res Broches que usan las mujeres como adorno. *Toñita vio unos prendedores lindos en la tienda.*

pre·pa·rar Hacer lo necesario para obtener un producto. *Mi hermano va a preparar la comida.*

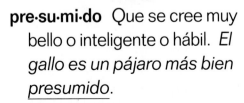

pre·su·mi·do Que se cree muy bello o inteligente o hábil. *El gallo es un pájaro más bien presumido.*

prin·ci·pal Más importante que otra cosa. *El muchacho se pasea por la calle principal con su abuelo.*

prin·ci·pio Punto donde algo comienza. *Al principio del cuento, el unicornio se esconde entre las plantas.*

pro·pia Que es de uno mismo. *Paquita trajo su propia guitarra.*

pú·bli·co Gente que ve un espectáculo de teatro, de circo, etc. *El público va al parque a ver los bailarines.*

puer·ta Espacio abierto en una pared o cerca por donde se entra o sale. *Mi casa tiene una puerta grande.*

Q

que·brar Romper. *La botella se puede quebrar si cae de la mesa.*

(te) que·jes Expreses con la voz el dolor o pena que sientes. *No te quejes del calor.*

(se) que·mó Se consumió con fuego. *La madera se quemó en la chimenea.*

quet·zal Hermoso pájaro verde y rojo de la América tropical con cola muy larga. *El quetzal es muy tímido y, por eso, es difícil de encontrar.*

R

ra·na Animal parecido al sapo que vive en el agua y sobre la tierra. *La rana saltó y cayó en el agua.*

ras·tri·llo Herramienta para recoger hierba. *Vamos a usar el rastrillo en el jardín.*

ra·tón Pequeño animal, generalmente gris con cola larga. *Un ratón vive en mi casa y come queso.*

ra·ya Línea o franja; dibujo largo y fino. *En la calle hay una raya que muestra por dónde tienen que ir los carros.*

re·bo·zos Chales o mantillas que usan las mujeres como abrigo o adorno. *Se hacen rebozos de todos los colores.*

re·don·da Que tiene la forma de un círculo. *La moneda es redonda.*

re·fri·ge·ra·dor Aparato que enfría las cosas y que sirve para guardar la comida. *Pon la leche en el refrigerador.*

re·fun·fu·ñar Quejarse con sonidos o palabras confusas. *María se puso a refunfuñar porque no encontraba su libro.*

re·gión Área que tiene ciertas características. *El Yucatán es una región de México.*

re·gre·sa Vuelve al lugar de donde partió. *Mamá regresa a casa mañana.*

rei·na Mujer que manda en un reino o esposa de un rey. *La reina y el rey saludan a la gente del pueblo.*

re·lle·nos Que están llenos. *Los tomates rellenos que prepara mi mami son muy sabrosos.*

re·vis·ta Publicación semanal o mensual que contiene escritos variados. *Quique leyó un cuento de aventuras en la revista.*

(se) rí·e Expresa mucha alegría con sonidos y movimientos de la boca. *Ella se ríe cuando le hacen cosquillas.*

rin·con·ci·to Espacio pequeño; esquina de un cuarto. *En un rinconcito de la tienda, hay un gato sobre un tapete.*

(me) rin·do Cedo; me doy por vencido; me retiro. *Digo "me rindo" cuando ya no puedo seguir haciendo algo.*

rom·per Quebrar; hacer que una cosa deje de estar entera. *¡Cuidado, que se pueden romper las botellas!*

S

sa·cu·dió Movió una cosa con fuerza de un lado a otro. *Muchas frutas se cayeron cuando Pepe sacudió el árbol.*

sa·lu·dar Usar palabras o gestos especiales al encontrar o despedirse de una persona. *Pepe, ven a saludar a tu abuelo.*

sal·var Sacar de una situación peligrosa. *El rey va a salvar al pueblo del dragón.*

se·cre·to Cosa que se esconde o no se debe contar. *Mi hermana me contó un secreto, y no te lo puedo contar.*

se·gun·do Que va después del primero. *Eva está en el segundo lugar de la fila.*

se·ma·na Serie de siete días seguidos. *Voy a San Francisco por una semana.*

sem·bra·do·ras Mujeres que echan las semillas en la tierra. *Las sembradoras fueron al campo con las semillas.*

siem·pre En todo o en cualquier tiempo. *El sol siempre sale por el este y siempre se pone en el oeste.*

sim·pá·ti·co Amable, agradable; que cae bien. *Pepe es un niño muy simpático y todo el mundo lo quiere.*

som·bre·ro Artículo de vestir, que sirve para cubrir la cabeza. *Un buen sombrero nos protege del sol.*

So·no·ra Estado de México. *En Sonora la tierra es muy seca.*

son·rí·e Se ríe un poco y sin hacer ruido. *Mamá se sonríe cuando me mira.*

sue·ño Acto de dormir; cosas o sucesos que aparecen en la mente cuando uno duerme. *En el sueño, una avispa y un armadillo eran mis amigos.*

suer·te Circunstancia de que las cosas vayan bien o mal por mera casualidad. *Dicen que las estrellas fugaces traen buena suerte.*

su·su·rra Habla muy bajito. *Mucha gente susurra en los museos.*

T

ta·cos Tortillas fritas rellenas de carne, queso, frijoles, etc. *Los tacos son una comida de México.*

ta·ma·rin·do Fruta tropical de color café que se usa para hacer refrescos. *Mi abuela hace un jugo de tamarindo.*

tam·bién Palabra que se usa para afirmar la igualdad o la relación de una cosa con otra. *Me gustan los caballos y también los perros.*

tan·go Tipo de música y baile de Argentina y Uruguay. *Cuando sea más grande, quiero aprender a bailar el tango.*

tan·te·a·ban Exploraban o examinaban una cosa para saber su forma, peso, tamaño, etc. *Para salir de la cueva oscura, tanteaban las paredes con las manos.*

te·a·tro Lugar donde se presentan espectáculos públicos. *Fui al teatro para ver el Ballet Folklórico.*

te·jien·do Haciendo una tela con hilos; haciendo una tela de araña. *Mi mamá está tejiendo un rebozo para mi hermana.*

tem·bla·ban Se movían de forma agitada y sin poder parar. *Hacía mucho frío y los niños temblaban.*

tém·pa·no Gran pedazo de hielo que flota en el mar. *Nada puede crecer en el témpano de hielo.*

ter·cio·pe·lo Tela muy suave y fina. *Me gusta tocar el terciopelo.*

ter·mi·nar Acabar. *Ya voy a terminar de lavar las ventanas.*

te·rri·bles Que dan mucho miedo. *En los cuentos, los ogros pueden ser terribles.*

tiem·po Duración de las cosas; se mide en minutos, horas, días, meses y años. *Hace mucho tiempo que no veo a mi primo.*

to·ros Animales grandes con cabeza gruesa armada de dos cuernos. *Los toros pueden ser peligrosos.*

tor·tu·ga Animal marino o terrestre con carapacho. *La tortuga camina muy despacio.*

tos·ta·do Pasado por el fuego sin llegar a quemarse. *Me gusta comer pan tostado para el desayuno.*

tra·ve·su·ras Acciones sin importancia que pueden molestar. *A muchos niños les gusta hacer travesuras.*

tra·vie·so Inquieto, juguetón. *Ese gatito es muy travieso.*

trián·gu·los Figuras de tres lados. *Para los techos de las casas, dibujé unos triángulos.*

U

u·ni·cor·nio Animal imaginario que parece un caballo con un cuerno recto en la frente. *En el cuento, el niño se encontró con el unicornio en el jardín.*

V

ve·ge·tal Planta; que tiene que ver con las plantas. *La pintura vegetal se hace con plantas.*

ven·de·dor am·bu·lan·te Persona que va de un lado a otro vendiendo cosas. *El vendedor ambulante llegó a la casa con tamarindos y mangos.*

ver·dad Cosa que es cierta. *Mi mamá dice que es bueno decir la verdad.*

via·ja Va a un lugar más o menos alejado. *Mi tío viaja a Veracruz cada año.*

vi·da Tiempo que pasa uno desde que nace hasta que muere. *La vida de un elefante es larga.*

vi·drio Materia dura, frágil y por lo general transparente. *Muchos frascos se hacen de vidrio.*

vie·ji·tos Ancianitos. *Los viejitos nos pueden enseñar mucho.*

vio·lon·ce·lo Instrumento musical parecido al violín, pero más grande. *Ese músico toca el violoncelo.*

vuel·ve Hace otra vez; regresa. *El niño vuelve a leer el libro.*

Z

zo·rri·llo Pequeño animal salvaje negro y blanco que lanza un líquido con mal olor para defenderse. *El zorrillo es un animal bonito.*